AD

DU
COURSE

*Titles in this series:*

ADVANCED DUTCH COURSE

ADVANCED FRENCH COURSE

ADVANCED GERMAN COURSE

ADVANCED ITALIAN COURSE

ADVANCED SPANISH COURSE

**Picture Credits**

Jacket: All special photography Max Alexander, Steve Gorton, Rupert Horrox, Clive Streeter.

# Hugo's

# ADVANCED DUTCH COURSE

Jane Fenoulhet & Julian Ross

Hugo's Language Books
www.dk.com

A DORLING KINDERSLEY BOOK

This new edition published in Great Britain in 1998 by
Hugo's Language Books, an imprint of Dorling Kindersley Limited,
9 Henrietta Street, London WC2E 8PS

www.dk.com


2 4 6 8 10 9 7 5 3 1



A CIP catalogue record is available from the British Library.

ISBN 0 85285 383 1

*Advanced Dutch Course* is also available in
a pack with four cassettes, ISBN 0 85285 384 X

Written by

**Jane Fenoulhet** M. Phil. (Dutch), M.I.L.
Senior Lecturer in Dutch at
University College, London

and

**Julian Ross** B.A., M.I.L., A.I.T.I., Dip. Trans.

Set in 10/12pt Plantin by
Keyset Composition, Colchester, Essex
Printed and bound by LegoPrint, Italy

# Contents

# ACKNOWLEDGEMENTS

The authors and publisher would like to acknowledge use of certain items of realia taken from:

*De beste Vlaamse groente- en fruitgerechten* (Helios) [p. 34]
*Yuppie Yuppie Yeahh!* (Novella) [p. 63]
*De ideale leeftijd* (Mondria) [p. 102]
*Waar Nederlands de voertaal is* (Van In) [pp. 124/125]
*Antwerpen/Brussel* (Kosmos) [p. 171]

# Introduction

## How to get the most out of this course

*Read the following paragraphs before you begin the first lesson, to understand fully what the **Advanced Dutch Course** is all about and how you should tackle it.*

### What do we assume you know?

We assume you have studied about 100 hours of Dutch and have completed any of the self-study beginners' courses. These will have given you a basic knowledge of Dutch grammar and a small core vocabulary of the most frequent words. It is not necessary to have used Hugo's *Dutch in Three Months*, although we do include some references to it in the grammar explanations in this book, in case you need to revise some of the elementary grammar. Where we think such revision is essential, then we will provide it in the *Advanced Dutch Course.*

### What are the aims of the *Advanced Dutch Course*?

The aims are

- to expand your vocabulary in topic areas which we think you are most likely to need. See the Contents page for a list of topics.
- to increase your knowledge of Dutch grammar by adding more detail to the basic rules.
- to help you become aware of different styles of Dutch so that you learn to use language appropriate for a particular situation.
- to help you increase your fluency in reading, speaking and listening to Dutch, and to begin to develop writing skills.

### How long will I need to spend on the *Advanced Dutch Course*?

There are ten lessons, each one devoted to a different topic area. Each lesson has four sections. You should aim to spend about two hours on each section first time round, and then to revise it at the end of the lesson, before moving on to the next one. In total, you will probably need to spend about ten hours on each lesson if you are to become completely familiar with the material contained in it.

## What does each lesson contain?

1. A reading passage consisting of an authentic text taken from a Dutch book, magazine, newspaper or publicity material. This is followed by a list of new words and phrases. An important part of this section are the Notes: explanations of difficult sentences together with translations. Next come the exercises which will help you test how well you have understood the text, and which may also help you practise new words or grammar.
2. A second reading passage, which is usually a different type of text from the first one, although the topic area remains the same.
3. Grammar. Clear, concise explanations in English followed by exercises both for practice and for you to test whether you have understood.
4. A listening text. This is a scripted dialogue available on tape. It uses phrases and expressions which are typical of the spoken language, and which therefore have not been covered in the reading texts. If you do not have the cassettes, you can still familiarize yourself with the language through reading the scripts. New vocabulary is presented to you before the text. After the dialogue you will find some suggestions for using spoken Dutch, followed by exercises. One of the exercises in each lesson is interactive for those with the tapes. Again, if you have only the book, you can still use the exercise by reading the prompt to yourself before trying to speak your answer out loud.
5. Extra language material in some of the illustrations. If you want to go one step further than we have taken you in the lesson, you can use your dictionary and get to grips with this extra material.

## More about the exercises

There is a wide variety of exercises. Most of them, such as the gap-filling ones, are clear-cut with only one correct answer. However, in keeping with the more advanced level of the work in this book, there are a few which are open, i.e. there is no one right answer. We have included these to give you some ideas for practising your Dutch beyond this book. In between these two extremes you will find translation exercises. In this case, we have given a model translation in the key to the exercises. This does not mean, however, that it is the only possible translation, and you may have come up with a perfectly acceptable version. It is still a good idea for you to compare the key translation with your own and check any differences with the original Dutch text.

Dienstregeling
Bus, Nachttrein
Lijnenkaart
Geldig vanaf
31 mei 1992
Amsterdam
NACHTBUSSEN
PHILIP
BAVAR
BIER
STATION SLOTER
VOLVO
VF-88-NV
gemeentevervoerbedrijf
amsterdam

# Les Een **Reizen**

## Leestekst 1/Reading Passage 1

*The passage below is taken from a story written by Simon Carmiggelt, a Dutch writer of humorous articles and short stories. Read through the new vocabulary and the Notes. Then read the text two or three times before answering the questions in the Exercises following the Notes.*

### Een late bus

Op Schiphol stapte ik 's avonds in de KLM-bus met bestemming Amsterdam. Er zat nog niemand anders in. De chauffeur stond buiten een sigaretje te roken met een collega. De vertrektijd zou pas over een kwartier aanbreken. De bus was op een onherbergzame wijze verlicht. Ik moest denken aan mijn moeder in haar laatste jaren. Ze woonde in Den Haag. Als ze bij ons was geweest ging ze altijd 's avonds terug met een bus, die uit de Wibautstraat vertrok. Ze vond dat handiger dan de trein, omdat ze in Den Haag dan zó kon overstappen op de tram naar huis. Taxi's wees ze af, niet uit armoe maar uit beginsel. Ze vond het geldwegsmijterij. Dat was niet uit haar hoofd te praten. Ik bracht haar altijd 's avonds naar de Wibautstraat. Als de bus vertrok was zij meestal de enige passagier. Beschenen door het kille licht, wuifde ze lang naar haar kind, want dat bleef ik.

Zodra ze weggereden was ging ik het cafeetje binnen en dronk snel drie glazen sherry.

*Woordenschat/Vocabulary*

| | |
|---|---|
| **Schiphol** | Amsterdam airport |
| **KLM (de Koninklijke Luchtvaartmaatschappij)** | Royal Dutch Airlines |
| **de bestemming** | destination |
| **de chauffeur** | driver |
| **roken** | to smoke |
| **de collega** | colleague |
| **de vertrektijd** | departure time |
| **aanbreken** (sep.) | to come (*also* to dawn) |
| **onherbergzaam** | inhospitable |

| | |
|---|---|
| **verlicht** | lit |
| **handig** | handy |
| **overstappen (op)** (sep.) | to change (to) |
| **afwijzen** (sep.) | to reject |
| **de armoe** | poverty |
| **het beginsel** | principle |
| **de geldwegsmijterij** | waste of money |
| **meestal** | usually |
| **enig** | only |
| **de passagier** | passenger |
| **beschijnen** | to shine on, illuminate |
| **kil** | cold, chilly |
| **het licht** | light |
| **wuiven** | to wave |
| **zodra** | as soon as |

*Uitdrukkingen/Phrases*

| | |
|---|---|
| **stappen in** | to board, get on |
| **op een . . . wijze** | in a . . . manner |
| **bij ons** | at our house |
| **iets uit iemands hoofd praten** | talk someone out of something |

## Kommentaar op Leestekst 1/Notes on Reading Passage 1

### 1 *Er*

**Er zat nog niemand anders in.**
There was no-one else in it yet.

The word **er** has a dual function in this sentence. It both a) functions as a pronoun and b) introduces the sentence.

a) The object pronouns **het, hem** and **ze** cannot be used after prepositions in Dutch when they refer to things rather than people: the construction **er** + preposition is used instead. For example: **erin**/in it, **ertoe**/to it, **ermee**/with it, **erover**/about it, and so on.

Although **er** and its preposition belong together, it is not necessary for them to occur next to one another in the sentence. In fact, the Dutch language often prefers the 'sandwich' or 'split' construction, as in the example from the text.

b) Where a Dutch sentence has an indefinite subject (i.e. a subject without a definite article), in this case **niemand**, **er** is found in the position normally occupied by the subject: it precedes the verb. See also *Dutch in Three Months* §63.

Where both functions of **er** are present in one sentence, it is not correct in Dutch to repeat **er**. Look at the translation of the example from the text, and notice how each of the two functions of **er** is represented by a separate word in English:

**Er zat nog niemand anders in.**
There was no-one else in it yet.

## 2 *liggen/staan/zitten* + *te* + infinitive

**De chauffeur stond buiten een sigaretje te roken.**
The driver was smoking a cigarette outside.

Dutch does not have a continuous tense like English, for example 'was smoking'. One of the ways in which the Dutch language conveys a continuing action is to use a 'positional' verb like **liggen**, **staan** or **zitten** followed by **te** + infinitive.

NOTE: Remember that, when expressing the equivalent of the English verb 'to be', Dutch is generally more precise than English. Where English uses the verb 'to be' to indicate the position of something, Dutch specifies whether the subject is lying flat (**liggen**), is upright (**staan**), or placed inside something (**zitten**). For example **Het boek ligt op tafel**/The book is on the table; **Het boek staat op de plank**/The book is on the shelf; **De pen zit in mijn tas**/The pen is in my bag; **Er zat niemand in de bus**/There was no-one in the bus. (See *Dutch in Three Months* §29.)

## 3 Past tense of *zullen*

**De vertrektijd zou pas over een kwartier aanbreken.**
We weren't due to leave for another quarter of an hour.
(*Lit.*: The departure time wouldn't happen for another quarter of an hour.)

The past tense of **zullen**, the future auxiliary verb, is **zou** (singular)/ **zouden** (plural). Because the story is being told in the past tense, it is the past tense of **zullen** which is used to refer to things about to happen. This is sometimes called 'the future in the past'.

### 4 *Pas*

This little word conveys the idea 'not until':

**Hij komt morgen pas.**
He isn't coming until tomorrow.

When it is combined with a countable unit of time it is usually translated as 'only':

**Ik ben hier pas twee maanden.**
I have only been here for two months.

or 'not for':

**pas over een kwartier**
not for another quarter of an hour

(See also Les 2, Kommentaar op Leestekst 2, §1)

### 5 *Als*

**Als ze bij ons was geweest . . .**
When she had been with us . . .
**Als de bus vertrok . . .**
When the bus departed . . .

**Als** is a conjunction which introduces a subclause. It has two meanings in English: 'when' and 'if'. You will find more about **als** and about subclauses in the grammar section of this lesson.

### 6 *Zo*

Generally, **zo** corresponds to English 'so'. When it is stressed – indicated in Leestekst 1 by an accent (**zó**) – it means something like 'just like that', 'without any fuss'.

## *Oefeningen bij Leestekst 1/Exercises on Reading Passage 1*

**1** *Rearrange the following sentences so that they form a summary of the passage. The word* **verteller** *means narrator, the 'I' in the story.*

1 De verteller wil van Schiphol naar Amsterdam reizen.
2 Hij moest haar 's avonds naar de bus brengen.
3 Hij moet een kwartier op de bus wachten.
4 Ook wilde ze geen geld aan taxi's uitgeven. →

5 Zijn moeder reisde liever met de bus dan met de trein omdat het makkelijker voor haar was.
6 De bus doet de verteller aan zijn moeder denken.
7 Zij zat vaak alleen in de bus.
8 Toen zijn moeder niet meer te zien was, liep de verteller een café binnen.

2 *Now translate the Dutch sentences from Exercise 1 to form a summary of the passage in English.*

3 *The text of this exercise is taken from a Netherlands Railways –* ***Nederlandse Spoorwegen, NS*** *for short – information booklet. A recent innovation is the availability of the railway timetable –* ***het spoorboekje*** *– on computer disk. They call it the* ***NS Reisplanner****, or journey planner. Another innovation is the* ***treintaxi*** *which is a taxi service run by NS. The text also contains one or two new items of vocabulary:*

| | |
|---|---|
| **opvragen** (sep.) | to call up |
| **de verbinding** | connection, link |
| **het vertrekpunt** | point of departure |
| **het eindpunt** | destination |
| **intypen** (sep.) | to type/key in |

*Now fill in the gaps in the sentences below with the appropriate word taken from the following list, altering its form if necessary. You will need to use one word twice.*

**bestemming; chauffeur; handig; overstappen; passagier; vertrektijd**

1 De _____ NS Reisplanner is het spoorboekje op diskette.
2 Met de NS Reisplanner kan de _____ op zijn eigen computer de _____ opvragen van alle treinen in Nederland.
3 De NS Reisplanner geeft de snelste verbinding tussen vertrek- en eindpunt, met zo min mogelijk _____ .
4 U hoeft de _____ van uw reis maar in te typen.
5 Als u per treintaxi reist, dan staat de _____ van uw taxi bij het station klaar om u naar uw _____ te brengen.

## Overzicht P+R/Treintaxistations

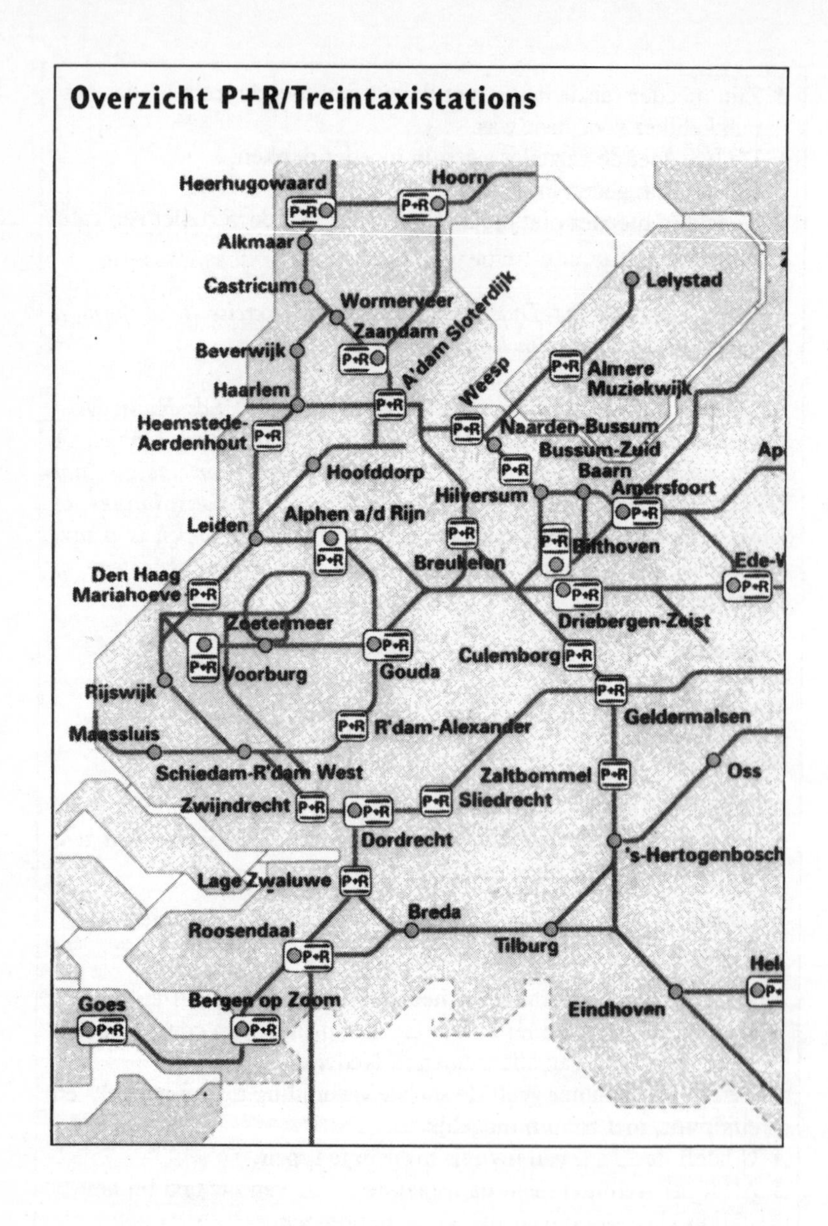

## Leestekst 2/Reading Passage 2

### Het reizen met de trein

**Stoptrein of snelle Intercity**
Naast de stoptreinen, die bij elk station stoppen, zijn er snelle en comfortabele Intercity-treinen. Deze rijden naar de ruim zestig grote steden in ons land, naar Schiphol en naar onze buurlanden. Tussen de meeste IC-stations rijdt één Intercity per half uur. Als u een langere afstand moet afleggen, is de Intercity ideaal. Behalve de snelheid, krijgt u onderweg ook extra service. Van maandag tot en met zaterdag van 's morgens 7 uur tot 's avonds 7 uur en op zondag van ongeveer 9 uur 's ochtends tot 10 uur 's avonds komt in de meeste Intercity's de Minibar langs. Hier kunt u broodjes, koffie, thee, frisdranken en versnaperingen kopen.

**Overstappen?**
**Heel makkelijk!**
Over het algemeen heeft u een paar minuten nodig om over te stappen. Op de grote stations moet u echter met een overstaptijd van ongeveer 5 minuten rekening houden. Dit zijn Amsterdam CS en Amsterdam Sloterdijk, Dordrecht, Den Haag CS, Leiden, Rotterdam CS en Utrecht CS. In de trein wordt het eerstvolgende station omgeroepen. U hoort dus tijdig dat u uit moet stappen.

*Woordenschat/Vocabulary*

| | |
|---|---|
| **de stoptrein** | local train, stopper |
| **naast** | *here*: in addition to |
| **ruim** | more than |
| **het buurland** | neighbouring country |
| **IC-station** | Intercity station (i.e. station where Intercity trains stop) |
| **de afstand** | distance |
| **afleggen** (sep.) | to cover (distance) |
| **behalve** | besides, apart from |
| **onderweg** | on the way; during the journey |
| **langskomen** (sep.) | to come along, to come past |
| **de frisdrank** | soft drink |
| **de versnapering** | snack |
| **echter** | however |
| **de overstaptijd** | time needed to change trains |
| **ongeveer** | about, approximately |
| **CS (Centraal Station)** | Central Station |

| | |
|---|---|
| **eerstvolgende** | next (*lit*: first following) |
| **omroepen** (sep.) | to announce |
| **tijdig** | in good time |
| **uitstappen** (sep.) | to get out; alight |

*Uitdrukkingen/Phrases*

| | |
|---|---|
| **tot en met (t/m)** | up to and including |
| **over het algemeen** | in general |
| **rekening houden met** | allow for; take into account |

## Kommentaar op Leestekst 2/Notes on Reading Passage 2

### 1 *Dit zijn Amsterdam CS en Amsterdam Sloterdijk . . .*

Remember this special construction of **dit/dat/het** + **zijn** + noun. Although this was dealt with in *Dutch in Three Months* (§11), it is worth revising the construction here. It is used to identify people or things, regardless of their grammatical gender:

**Wie is dit? Dit is mijn broer.** This is my brother.
**Wat is dat? Dat is ons huis.** That's our house.
**Wie was het? Het was de buurman.** It was the neighbour.

If the noun is plural, the verb also takes the plural form, but **dit**, **dat** and **het** remain unchanged:

**Wie zijn dit? Dit zijn mijn ouders.** These are my parents.
**Wat zijn dat? Dat zijn de bomen.** Those are the trees.
**Wie zijn het? Het zijn onze vrienden.** They are our friends.

### 2 Separable verbs

Leestekst 2 contains quite a number of these verbs, which were also discussed in *Dutch in Three Months* (§44).

In the infinitive, separable verbs are always written as one word, e.g.:

**afleggen** to cover (distance)
**langskomen** to come past
**weggaan** to go away
**uitstappen** to alight, to get out
**binnengaan** to go in

In the present tense and the simple past tense, the prefix is placed in final position. For example:

**Wij gaan vandaag weg.** We're going away today.
**Ik ging het cafeetje binnen.** I went into the cafe.
**De bus komt iedere dag om tien uur voorbij.** The bus comes past every day at ten o'clock.

In the perfect tense, verb and prefix come back together with **ge-** inserted between them:

**Zij is nog niet voorbijgekomen.** She hasn't gone past yet.
**Hebben ze jullie uitgenodigd?** Have they invited you?
**We hebben vandaag een grote afstand afgelegd.** We've covered a great distance today.

Whenever a new separable verb is listed in the vocabulary lists, it is followed by (sep.) to remind you to use it correctly.

## *Oefeningen bij Leestekst 2/Exercises on Reading Passage 2*

**4** *Translate the following sentences into Dutch.*

1 These are my friends.
2 That's my school.
3 It's my brother.
4 Those are beautiful houses.
5 Who's that? That's Pieter and Marie.

**5** *Each of the following sentences contains a separable verb infinitive. Write out each sentence, putting the verb in the present tense. Then do the same again, this time using the perfect tense. The first one has been done for you.*

1 Hij (*terugkomen*) maandag.
Hij *komt* maandag *terug*.
Hij *is* maandag *teruggekomen*.
2 Ik (*opbellen*) mijn moeder elke week.
3 We (*uitnodigen*) de buren op ons feestje.
4 Mijn zusje (*uitgaan*) elke zaterdagavond.
5 Mijn vader (*opstaan*) om zeven uur.
6 Mijn grootouders (*langskomen*) vanochtend.

## GRAMMATICA

### Word order – position of main verb

#### 1 Main clauses

It is important to remember that Dutch is a 'verb-second language'. In other words, the main verb is always the second item in the sentence (see *Dutch in Three Months* §21a and §21b). In many sentences this is fairly straightforward, even though the word order will not always be entirely the same as in English:

1 2 3 4

a) **Wij zijn allemaal goede vrienden.**
We are all good friends.

1 2 3 4 5

b) **Ik ga vanavond met de tram naar huis.**
I am going home by tram this evening.

Here, the verb is in second position in the English sentences too. However, if the sentence starts with an item other than the subject of the main verb, inversion of subject and verb is usually necessary in Dutch in order to keep the verb in second position. For example, if we rearrange sentence b) above, we get:

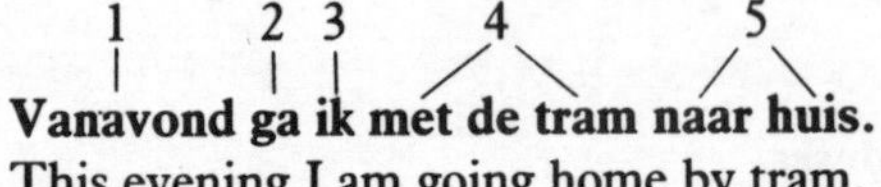

**Vanavond ga ik met de tram naar huis.**
This evening I am going home by tram.

Note that the subject (**ik**) now comes after the verb (**ga**), leaving the latter in position 2. This does not happen in the English sentence, where the verb (**am**) has moved down the sentence to position 3.

There are lots of examples of this in Leesteksten 1 & 2 above. For example:

- **Op Schiphol stapte ik in de KLM-bus . . .**
- **Naast de stoptreinen zijn er snelle en comfortabele Intercity-treinen.**
- **Tussen de meeste IC-stations rijdt één Intercity per half uur.**
- **Over het algemeen heeft u enkele minuten nodig om over te stappen.**
- **In de trein wordt het eerstvolgende station omgeroepen.**

You will notice from the examples that item 1 in the sentence, whether it is the subject of the main verb or not, does not have to be restricted to one word. This means that adverbial phrases such as **Op Schiphol; Naast de stoptreinen; Tussen de meeste IC-stations; Over het algemeen; In de trein** each count as a single item in the sentence. Even extremely long adverbial phrases still count as a single item. There is a striking example of this in Leestekst 2:

> **Van maandag tot en met zaterdag van 's morgens 7 uur tot 's avonds 7 uur en op zondag van ongeveer 9 uur 's ochtends tot 10 uur 's avonds komt . . . de Minibar langs**

The whole of the underlined text is an adverbial phrase of time and constitutes item 1 in the sentence. The main verb (**komt**) follows, as item 2, and again the subject of the verb (**de Minibar**) moves to position 3.

### 2 Subclauses

In subclauses (as opposed to main clauses) the main verb moves from position 2 to final position. (See also *Dutch in Three Months* §51.) For example:

- **Als de bus vertrok** ... When the bus left . . .
- **(Naast de stoptreinen), die bij elk station stoppen** . . . (As well as the trains) which stop at every station . . .

If the main verb is an auxiliary verb used with an infinitive, the infinitive normally goes right at the end:

> **Als u een langere afstand moet afleggen** . . . If you have to cover a longer distance . . .

Remember also that subclauses are always introduced by a subordinating conjunction (**als** in the examples above) or, in the case of relative clauses, by a relative pronoun (**die** in the second example above). There is more on subclauses in Les 3, where relative clauses are dealt with in detail.

### 3 Combining subclauses and main clauses

A main clause can occur without a subclause. However, a subclause can only occur in combination with a main clause. The sentence patterns

**main clause + subclause**

and **subclause + main clause**

are both possible.

The 'verb-second' principle still applies to the sentence as a whole. This will be straightforward if the sentence begins with the main clause:

Main clause Subclause

**De Intercity is ideaal als u een langere afstand moet afleggen.**
The Intercity is ideal if you have to cover a longer distance.

Note that the verb in the main clause (**is**) is in second position, while the verb in the subclause (**moet** + **afleggen**) is in final position.

If the sentence begins with the subclause, then the whole of the subclause functions as item 1 in the sentence. This means that subject and verb are inverted in the main clause to keep the main verb in position 2:

1 2 3 4
**Als u een langere afstand moet afleggen is de Intercity ideaal.**

***Oefeningen/Exercises***

**6** *Translate the following sentences into English.*

1 Toen hij mij zag, ging hij weg.
2 Als ik snel wil reizen, ga ik met de trein.
3 Ik reis graag met de tram omdat hij snel is.
4 Toen we het restaurant binnengingen, zagen wij onze vrienden.
5 Ik ga niet omdat ik te moe ben.

**7** *Rearrange each of the following sentences so that it begins with the word/phrase in bold print. Adjust the position of the subject and verb as necessary.*

1 Ik ga **morgen** naar school.
2 Wij zagen **overal** nieuwe gezichten.
3 Hij heeft **dat** niet gezegd.
4 Het heeft niet **geholpen**.
5 Ze zullen **mij** niet geloven.
6 Ik drink nog een kopje thee **voordat ik naar huis ga**.
7 We gaan fietsen **omdat het mooi weer is**.
8 Je moet nieuwe schoenen kopen **als je genoeg geld hebt**.

# Luistertekst/Listening Passage

*The purpose of the listening passages is fourfold:*

- *to broaden your vocabulary and word power;*
- *to help you to develop listening strategies to increase your understanding of spoken Dutch;*
- *to introduce/revise a range of functions which form part of everyday contact in the Dutch language. This text, for example, shows how to ask for information or help, how to say thank you, etc.*
- *to introduce facts and information which may be of interest or useful to you when visiting the Netherlands or Flanders.*

*Instructions*

1 *First read the vocabulary list and the passage through once without listening, to familiarize yourself with the situation and the vocabulary.*
2 *Then listen to the passage a couple of times with the book closed. This will help you to become accustomed to the sounds and to relate them to the meaning of the text.*
3 *Now listen to the passage again, this time following the text in the book. Repeat this step until you are completely familiar with what you are hearing. Pay attention not only to pronunciation, but also to intonation. You should also practise reading the text aloud yourself.*

## *Woordenschat/Vocabulary*

| | |
|---|---|
| **van dienst zijn** | to be of service |
| **voorstellen** (sep.) | to suggest |
| **de dagtocht** | day trip |
| **de fietstocht** | bicycle trip |
| **het platteland** | the countryside |
| **voordelig** | cheap, a good deal |
| **inbegrepen** | included |
| **aanbevelen** (sep.) | to recommend |
| **vermoeiend** | tiring |
| **verzameld** | collected, gathered together |
| **het openluchtmuseum** | open-air museum |
| **de toegang** | admission |
| **Spoor 4** | Platform 4 |
| **van welk spoor** | from which platform |

Delft
Delft
Informatie:
VVV Delft
Markt 85
2611 GS Delft
Telefoon:
015 - 12 61 00
Holland
Delft

**Er op uit!**

*Andrew Black is on a business trip to the Netherlands for a few days. Today he has a free day and wants to see something of the country. He goes to the railway station which, like most of the main stations in Holland, has a travel and information bureau.*

*Bediende* Goedemorgen, meneer. Waarmee kan ik u van dienst zijn?

*AB* Goedemorgen. Ik heb een dagje vrij, en ik wil iets gaan doen. Ik dacht misschien een leuk reisje. Kunt u misschien iets voorstellen? Ik ken Nederland namelijk niet zo goed. Buiten Amsterdam en Den Haag, dan.

*Bediende* U kunt het beste in ons boekje 'Er-op-Uit!' kijken. Daarin staan allerlei leuke dagtochten die u met de trein kunt maken. U kunt bijvoorbeeld naar een mooie stad gaan, of naar het platteland om daar een fietstocht te maken . . . er zijn veel mogelijkheden. En het is ook voordelig: u koopt maar één kaartje, en dan is uw treinreis en toegang tot museum enzovoort, allemaal inbegrepen.

*AB* Dat lijkt me een heel goed idee. Kunt u iets aanbevelen, wat niet te ver is en ook niet te vermoeiend?

*Bediende* Misschien is dit iets voor u: het Zuiderzeemuseum. Daar ziet u veel oude huisjes en werkplaatsen uit de tijd dat het IJsselmeer nog de Zuiderzee was, allemaal verzameld in een openluchtmuseum.

*AB* Ik denk dat ik liever naar een stad ga.

*Bediende* Probeert u Delft dan. U koopt één kaartje, en u krijgt: retour Delft met de trein, een boottocht door de stad, toegang tot 3 musea, en een kop koffie of glas limonade met gebak.

*AB* Heerlijk, dat ga ik doen.

*Bediende* Goed, meneer. U kunt uw kaartje daar aan het loket kopen.

*AB* Nou, dank u wel! Kunt u me ook zeggen hoe laat de volgende trein vertrekt en van welk spoor?

*Bediende* Over een kwartier van Spoor 4. Een prettige dag nog!

*AB* Nogmaals bedankt!

*Bediende* Tot uw dienst meneer.

## Using your spoken Dutch

### 1 Asking for suggestions/recommendations

When dealing with people you don't know, **misschien** is a useful word for making a request sound less demanding. Notice that Andrew Black uses it in his first request, but not in the second:

**Kunt u misschien iets voorstellen?** Can you suggest anything?
**Kunt u iets aanbevelen?** Can you recommend something?

### 2 Giving a positive reaction

**Dat lijkt me een (heel) goed idee.**
I think that's a (really) good idea.

You can include **heel** for more emphasis.
A simple way of responding positively is with an adjective such as **prima, prachtig, fantastisch, mooi, leuk, lekker, heerlijk.**

### 3 Saying thank you

There are of course many ways of saying thank you, and these will appear throughout this book. A neutral formula is:

**Dank u wel.** Thank you very much.

You will often want to repeat your thanks:

**Nogmaals bedankt!** Thanks again.

Note the typical response to thanks, given by officials who help you in some way or provide a service:

**Tot uw dienst.** You're welcome. (*lit.* At your service)

**Graag gedaan** is another widely used, and less 'official', way of saying this.

### *Oefeningen/Exercises*

8 *Choose the correct verb from the following group of separable verbs and insert it in the gap(s) provided, altering the form of the verb if necessary. The first one has been done for you. Each verb is used only once.*

**aankomen; opstaan; uitstappen; instappen;**
**meenemen; binnengaan; aanbreken**

→

1 Als ik te vroeg ____, ben ik de hele dag moe.
*Als ik te vroeg opsta, ben ik de hele dag moe.*

2 De volgende trein ____ pas over twintig minuten ____.
3 Hij klopte op de deur, en toen ____ hij ____.
4 Hij ____ in Delft de trein ____, en in 's-Hertogenbosch ____ hij er weer ____.
5 Er ____ een mooie dag ____.
6 Zij haalde haar koffer en ____ hem ____.

**9 Spreekoefening**

*This is a speaking exercise to practise the spoken Dutch you have learnt in this lesson. You'll need to know one new word:* **de treinretour,** return train ticket.
*Situation: You are at the station. You want to enquire about a day trip to the Zuiderzeemuseum. You go to the information desk.*
*Turn on the tape when you are ready and try to give appropriate responses.*

*Bediende* **Goedemorgen, mevrouw. Hoe kan ik u van dienst zijn?**
*You* Say good morning and enquire about the trip to the museum.
*Bediende* **Dat is makkelijk. U koopt maar één kaart en u krijgt natuurlijk een treinretour, maar ook toegang tot het museum.**
*You* Ask how much.
*Bediende* **Veertig gulden.**
*You* Say that's what you'll do.
*Bediende* **U kunt uw kaartje aan het loket kopen.**
*You* Thank him.
*Bediende* **Tot uw dienst, mevrouw.**

*Now listen to the model answer on the tape. Wind the tape back and repeat the exercise until you are happy with your performance!*

**Note:** *When communicating with strangers in the Netherlands, it is usual and polite to address them as either* **meneer** *or* **mevrouw**. *We have done this in our speaking exercises to make them sound authentic, but this means that if you are male, you will sometimes be addressed as* **mevrouw** *and if you are female, as* **meneer**!!

# SNELLE BROODJES

# hamburger VOOR DE ZATERDAGAVOND

## BROODJE VEGETARISCHE BURGER

**(hoofdgerecht, 4 personen)**

½ kleine courgette
(ca. 120 g),
½ bosje radijsjes,
2 eetlepels olie,
4 vegetarische burgers (à 100 g),
4 tarwebollen,
4 eetlepels milde tacosaus
(Casa Fiësta)

*Bereiden:* Courgette wassen, schoonmaken en in dunne plakjes snijden. Radijsjes schoonmaken, wassen en in dunne plakjes snijden. In koekepan olie verhitten. Burgers in ca. 6 minuten bruin bakken, halverwege keren. Intussen broodjes halveren. Onderste helften beleggen met plakjes courgette. Burgers erop leggen. Saus erover verdelen. Garneren met radijs. Afdekken met bovenste helften. Direct serveren.

*Bereiden: ca. 15 minuten*
*Prijs p.p.: ca. f 3,00*
*Bevat per eenpersoonsportie:*
*395 Calorieën*
*vet 20 g - eiwit 21 g - koolhydraten 32 g*

## BROODJE KIPBURGER MET TAUGE

**(hoofdgerecht, 4 personen)**

25 g boter of margarine,
4 kipburgers (à 100 g),
4 Zaanse volkorenbollen
met maïsgries,
50 g taugé,
4 eetlepels zoetzuurcocktail (AH),
6 eetlepels knoflooksaus (Calvé)

*Bereiden:* In koekepan boter verhitten. Kipburgers in ca. 5 minuten bruin bakken, halverwege keren. Intussen broodjes halveren en onderste helften beleggen met taugé. Kipburgers erop leggen. Zoetzuurcocktail en saus erover verdelen. Afdekken met bovenste helften. Direct serveren.

*Bereiden: ca. 20 minuten*
*Prijs p.p.: ca. f 2,25*
*Bevat per eenpersoonsportie:*
*545 Calorieën*
*vet 36 g - eiwit 18 g - koolhydraten 38 g*

## BROODJE BLUEBURGER

**(hoofdgerecht, 4 personen)**

4 halve peren uit blik,
50 g Castello Blue kaas,
25 g boter of margarine,
4 hamburgers (à 100 g),
4 witte vloerkadetten,
½ zakje veldsla (à 75 g),
½ doosje tuinkers,
keukenpapier

*Bereiden:* Peren droogdeppen met keukenpapier en in dunne plakjes snijden. Kaas in 4 plakjes snijden. In koekepan boter verhitten. Hamburgers in ca. 6 minuten bruin bakken, halverwege keren. Intussen broodjes halveren. Onderste helften beleggen met veldsla. Plakjes peer dakpansgewijs erover verdelen. Hamburgers erop leggen. Garneren met kaas en tuinkers. Afdekken met bovenste helften. Direct serveren.

*Bereiden: ca. 15 minuten*
*Prijs p.p.: ca. f 3,25*
*Bevat per eenpersoonsportie:*
*480 Calorieën*
*vet 28 g - eiwit 23 g - koolhydraten 34 g*

# Les Twee **Eten**

## Leestekst 1/Reading Passage 1

*Read through the new vocabulary and the notes; then read the text two or three times before moving on to the exercises which will test your comprehension of the text and help you remember the new vocabulary.*

*The passage is taken from autobiographical sketches by the Dutch humorist Kees van Kooten. It is about cheap snacks, for which he has developed a liking as an adult.*

**Mijn happen**

Bij ons vroeger deden mijn ouders er niet aan, aan kroket. Er kwam weliswaar van alles in huis en op tafel, maar kroketten kwamen er nooit over de vloer. Daarentegen wel honderden gehaktballen. Nu, jaren later, doe ik tussen de middag niets liever dan een Diverse Broodjeszaak binnengaan voor een witte kadet met kroket. Ik heb er nog duizenden in te halen.

'Wat mag het zijn, meneer?'

Nooit meteen zeggen. Eerst rustig kijken of ze hier soms vreemd beleg aan de wand hebben hangen. Broodje kaas, broodje lever, broodje ham, rosbief, broodje knak, broodje bal — maar waar is kroket? Ha, goddank, onderaan, eenvijfentachtig: broodje kroket.

'Doet u mij maar een broodje kroket.'

Soms laten ze je even wachten tot er nog iemand een broodje kroket wil. Dan doen ze je gelijk met die andere meneer in de frituurpan. Hè, ik krijg trek. Ik denk dat ik maar vast een broodje ros neem. En een glas melk.

'Mag ik een broodje ros en een glas melk?'

*Woordenschat/Vocabulary*

| | |
|---|---|
| **de hap** | snack |
| **de kroket** | meat croquette |
| **weliswaar** | it's true |
| **daarentegen** | on the other hand |

| | |
|---|---|
| **de gehaktbal (bal)** | meat ball |
| **de kadet** | bread roll |
| **inhalen** (sep.) | catch up with |
| **rustig** | calm(ly) |
| **soms** | perhaps |
| **het beleg** | filling |
| **de wand** | wall |
| **de lever** | liver |
| **de rosbief (ros)** | roast beef |
| **knak = de knakworst** | frankfurter |
| **goddank** | thank God |
| **onderaan** | at the bottom of the list |
| **eenvijfentachtig** | Fl.1,85, one guilder 85 cents |
| **even** | for a moment |
| **de frituurpan** | deep fryer |
| **vast** | meanwhile |
| **de melk** | milk |

*Uitdrukkingen/Phrases*

| | |
|---|---|
| **er niet aan doen** | not go in for it |
| **van alles** | all sorts of things |
| **over de vloer komen** | to be a regular visitor (normally used of people and used humorously here) |
| **tussen de middag** | at lunchtime |
| **gelijk met** | at the same time as |
| **trek krijgen** | begin to feel hungry |
| **Diverse Broodjeszaak** | a shop (**zaak**) selling all kinds of (**diverse**) filled rolls |
| **broodje kaas** | Cheese roll. The Dutch specify the filling by placing the appropriate noun (for example **ham, lever**) after **broodje**. The shortened forms like **knak** are very colloquial. |

*Using the right style of language for the right situation*

This is very important at advanced level. You need to develop an awareness of different degrees of formality in Dutch. This ranges from the very formal to the very informal, or colloquial. The most formal language tends to be reserved for official documents, and the most colloquial language will usually only be spoken.

The passage above is an example of an informal written style. (See also Les 10, Leestekst 1). The effect and the humour of the passage are produced by writing down language which would usually only be spoken, for example **broodje bal**. It also explains the short sentences with either no finite verb, or no verb at all. For example:

**Nooit meteen zeggen.**
Never say (what you want) straight away.

**Daarentegen wel honderden gehaktballen.**
Hundreds of meat balls did, on the other hand.

What has been omitted in the second example is the repetition of a whole verb-phrase from the previous sentence – **Daarentegen *kwamen* honderden gehaktballen wel** *over de vloer*. It is possible to omit this because of the little word **wel** which refers the reader back to the previous sentence by signalling a contradiction.

## Kommentaar op Leestekst 1/Notes on Reading Passage 1

### 1 *Er*

In Les 1 we discussed two uses of **er**: as a pronoun meaning 'it', and introducing sentences with an indefinite subject. There are examples of these two uses in "**Mijn happen**", for example the first and second sentences.

A third use of **er** indicates a certain number of something and translates English 'of them':

**Ik heb er nog duizenden in te halen.**
I've still got thousands of them to catch up with.

Here, the **er** is referring back to croquettes and means thousands of croquettes.

In Dutch, the use of **er** is obligatory if you want to refer to a certain number of something, even when you would not add 'of them' in English:

| | |
|---|---|
| **Hoeveel auto's heb je?** | **Ik heb er twee.** |
| How many cars have you got? | I've got two. |
| **Heb je ook twee fietsen?** | **Nee, ik heb er maar een.** |
| Have you got two bikes as well? | No, I've only got one. |

## 2 Subclauses: subordinating conjunctions

Invisible **dat**:
Many subordinating conjunctions (i.e. words which introduce a subclause) consist of a preposition combined with **dat**. For example: **omdat, nadat, voordat, totdat**. It is possible in the case of **voordat** and **totdat** to omit the **dat** part of the conjunction:

> **Soms laten ze je wachten *tot* er nog iemand een broodje wil.**
> Sometimes they make you wait *until* someone else wants a roll.

REMEMBER – If you are writing or speaking Dutch and you use one of these conjunctions without **dat**, you must use subclause word order, i.e. put the verb at the end of the clause.

## 3 *Of*

This conjunction has two functions depending on whether it introduces a main clause (**of** as a co-ordinating conjunction) or a subclause (**of** as a subordinating conjunction). In Leestekst 1 it introduces a subclause and is translated by 'whether' in English:

> **Eerst kijken *of* ze hier soms vreemd beleg aan de wand hebben hangen.**
> First look and see *whether* they have any strange fillings up on the wall.

When it introduces a main clause, **of** is translated as 'or':

> **Ga je weg *of* blijf je bij ons eten?**
> Are you going or will you stay and eat with us?

**Of** can be used to link words as well as clauses when it means 'or':

> **Een broodje kaas of een broodje ham?**
> A cheese roll or a ham roll?

There is a special construction in Dutch using **of . . . of** which is equivalent to English 'either . . . or':

> **Ik weet het niet. Ik neem *of* een broodje ham *of* een broodje lever.**
> I don't know. I'll have *either* a ham roll *or* a liver roll.

## 4 *. . . dat ik maar vast een broodje ros neem*

The word **maar** does not have any translatable meaning here: '. . . that I'll have a beef roll meanwhile'. **Maar** really only adds a tone of familiarity, and its use is typical of conversational Dutch.

You can learn more about these little words, or particles, in Les 10, Using your spoken Dutch.

### *Oefeningen bij Leestekst 1/Exercises on Reading Passage 1*

**10** *Are the following statements about Leestekst 1 true or false?*

1 De ouders van de schrijver aten nooit kroket.
2 Ze aten ook nooit gehaktballen.
3 De schrijver heeft nu nog het gevoel dat hij niet genoeg kroketten heeft gegeten.
4 Als hij de broodjeszaak binnengaat bestelt hij meteen iets om te eten.
5 Soms moet je wachten totdat nog iemand kroket bestelt. Dan doen ze de twee kroketten samen in de frituurpan.
6 De schrijver wacht niet op zijn kroket, maar bestelt al alvast iets te eten en te drinken.

**11** *Look through the phrases at the end of the vocabulary list and see how they are used in the passage. Now fill in the gaps in the sentences below using an appropriate phrase. You may need to adjust the phrase to fit the new context.*

1 Tien minuten geleden had ik geen honger, maar nu _____ .
2 Die winkel verkoopt verschillende soorten broodjes. Die heeft werkelijk _____ .
3 Thuis eten we 's avonds altijd warm. _____ eten we meestal brood.
4 We houden erg veel van bezoek. Er _____ veel mensen bij ons _____ .
5 We houden niet van tennis. We _____ .

**12** *Read through the passage and the vocabulary list. Now see how many different kinds of* **beleg** *(filling) you can remember. Write them down preceded by* **de** *or* **het** *as appropriate, so that you can test both your spelling and your knowledge of their grammatical gender. Now check your answers against the list.*

*As an extra exercise (if you like!) have a look at the recipes on the next page and read all about Brussels sprouts. Do the same with other illustrations with text attached – the more reading you do, the better you will extend your vocabulary and comprehension.*

## SPRUITKOOL

*De cultuur van de spruitkool is al meer dan zeshonderd jaar oud. De spruitjes zijn in feite de bladknoppen van de plant. Ze mogen niet te groot zijn en kenners vinden ze op hun best na de eerste vorst, niet alleen om hun vastheid, maar vooral om hun smaak. Spruitjes zijn een voedzame groente, die beschikbaar is van september tot maart. Wie er buiten deze periode nog wil eten, kan best een voorraad bewaren in diepvries (geblancheerd en in dagporties verdeeld).*

### SPRUITJES MET ROOM

Deze bereiding past goed bij schape-, varkens- en kalfsvlees.

*Ingrediënten voor 4 à 6 personen*
Ca. 1 kg spruitjes; 1/2 l room; peper, zout en muskaatnoot.

*Bereiding*
De gewassen en schoongemaakte spruitjes blancheren tot ze half gaar zijn. Ze vervolgens mengen met de vooraf tot op de helft ingekookte room. Kruiden en nog even in de room laten smoren, tot de spruitjes helemaal gaar zijn.

### IN SMOUT GESMOORDE SPRUITJES

Dit gerecht past goed bij varkens- schape- en kalfsvlees, maar minder bij rundsvlees.

*Ingrediënten voor 4 à 6 personen*
Ca. 150 g spruitjes per persoon; 150 g smout (reuzel); peper, zeezout en muskaatnoot.

*Smoortijd:* 20 à 30 minuten.

*Bereiding*
De schoongemaakte en gewassen spruitjes half gaar laten koken in gezouten water. Ze volledig gaar laten stoven in het smout, afkruiden en serveren.
Spruitjes in de room worden op dezelfde manier bereid, met dien verstande, dat het smout vervangen wordt door 3 dl room.

## Leestekst 2/Reading Passage 2

*Follow the instructions as given for Leestekst 1*

### Groenten en fruit in Vlaanderen

Ongeveer 500 jaar geleden begon men in Vlaanderen groenten te gebruiken bij het eten. Maar groenten bestonden natuurlijk al veel eerder. Het kweken ervan is in België al heel oud en het staat vast, dat de Romeinen bepaalde soorten hebben ingevoerd. Maar de groenten, die in de middeleeuwen gekweekt werden in de klooster- en kasteeltuinen, waren vaak bestemd voor medicinaal gebruik.

Rond het jaar 1500 ontstond er echter een nieuwe mode. De burgers hadden ontdekt dat groenten niet alleen gezond waren, maar ook lekker. Dus ging men de groenten kweken in de nabijheid van de steden: de eerste moestuinen!

Wat kweekte men toen? Allerlei soorten kool, uien, wortelen en peulvruchten. Veel later, toen ook de aardappel op alle tafels verscheen, kreeg men meer aandacht voor de fijnere groenten, die men dus ook begon te kweken.

Fruit werd ook overal gekweekt: op boerderijen, in kastelen en kloosters. En dan waren er ook nog de wijngaarden! Bijna iedere stad in Vlaanderen heeft nog steeds een 'Wijngaardstraat' of 'Wijngaardplein', namen die verwijzen naar het vroegere kweken van druiven.

Vlaanderen is een groente- en fruitland gebleven. Een aantal van deze Vlaamse produkten is nu heel bekend geworden: denk maar aan het befaamde witlof en aan de Brusselse spruitjes.

### *Woordenschat/Vocabulary*

| | |
|---|---|
| **de groente** | vegetable |
| **geleden** | ago |
| **bestonden (bestaan)** | existed |
| **kweken** | to cultivate |
| **de Romeinen** | the Romans |
| **invoeren** (sep.) | to import |
| **de middeleeuwen** | the Middle Ages |
| **het klooster** | convent, monastery |
| **de kloostertuin** | monastery garden |
| **het kasteel** | castle, country estate |

| | |
|---|---|
| **bestemd** | intended, destined |
| **het gebruik** | use |
| **ontstond (ontstaan)** | arose, developed |
| **de mode** | fashion |
| **ontdekken** | to discover |
| **de moestuin** | vegetable garden |
| **allerlei** | all kinds of |
| **de kool** | cabbage |
| **de ui** | onion |
| **de wortel** | carrot |
| **de peulvrucht** | pulse (*e.g.* pea, bean, etc.) |
| **de aandacht** | attention |
| **de wijngaard** | vineyard |
| **verwijzen (naar)** | to refer (to) |
| **druiven** (*sing.* = **de druif**) | grapes |
| **befaamd** | famous |
| **het witlof** | chicory |

### *Uitdrukkingen/Phrases*

| | |
|---|---|
| **het staat vast** | it is a fact (*lit.*: It is established) |
| **bepaalde soorten** | certain kinds (of) |
| **in de nabijheid (van)** | in the vicinity (of) |
| **nog steeds** | still |
| **denken . . . aan** | to think of |
| **het Brusselse spruitje** | Brussels sprout |

## Kommentaar op Leestekst 2/Notes on Reading Passage 2

### 1 *Al*

This little word, which literally means 'already', is often used in Dutch where no equivalent would be used in English. It expresses the idea that what is being talked about has gone on for a long time. This can be seen from the two examples in this passage, **al heel eerder** and **al heel oud**, where **al** reinforces the idea of age or length of time. Contrast this use with the use of **pas** (see Les 1, Kommentaar op Leestekst 1, §4):

**Ze is al vier jaar oud.** She's (already) four years old.
**Ze is pas vier jaar oud.** She's only four years old.

### 2 *gekweekt werden*

'Were grown': The passive. This was covered in *Dutch in Three Months* §66 and will be dealt with again in Les 6.

**Vlaanderen** (Flanders) is the Dutch-speaking region of Belgium. **Vlaams** (Flemish) is the adjective derived from it. It is located in the north of the country and shares its northern border with the Netherlands (see map). In the south, Flanders adjoins the French-speaking part of Belgium, **Wallonia**. Brussels, the capital of Belgium, has official bilingual status.

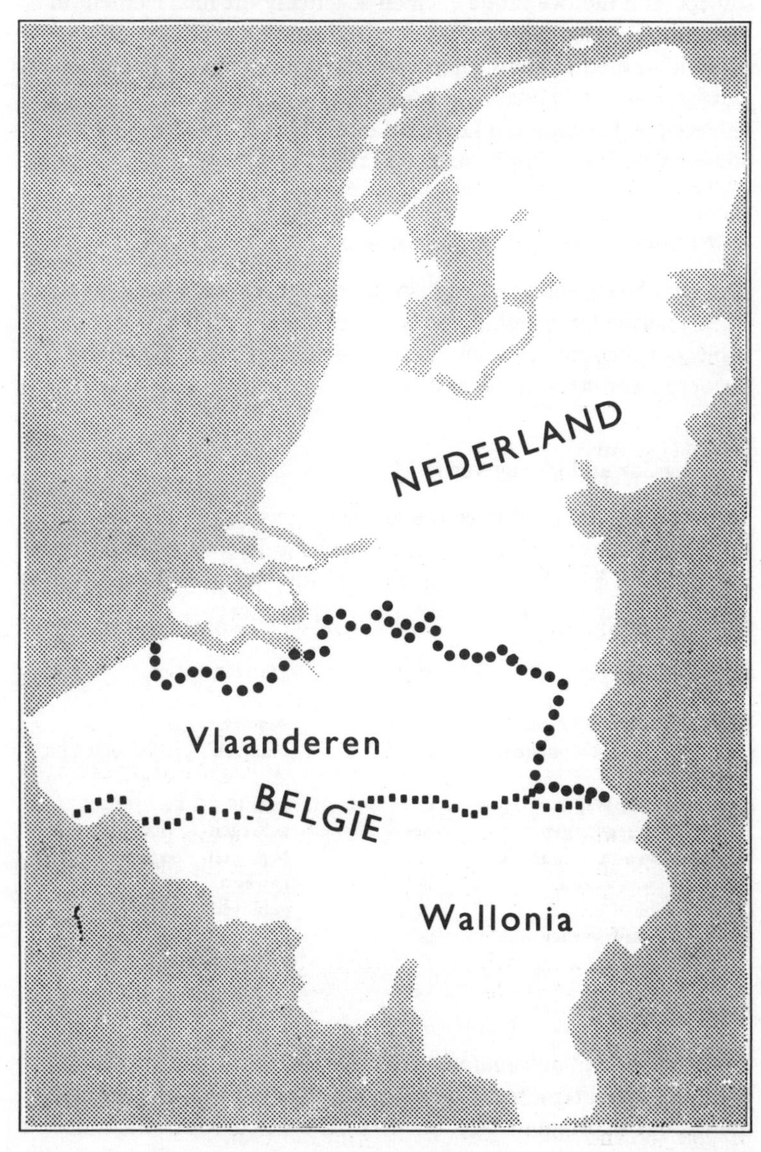

### 3 *Rond het jaar 1500 ontstond er echter een nieuwe mode.*

This is another example of **er** being used as a complement to an indefinite subject (see also Les 1, Kommentaar op Leestekst 1, §1). Note the inversion of subject and verb here, because the sentence begins with an adverbial phrase; **er** still precedes the indefinite subject (**een nieuwe mode**), which is actually the final element in the sentence now. Note that this introductory use of **er** is only possible where the noun subject which it complements has an indefinite article. Thus: **Een kopje staat op tafel** could be rendered as **Er staat een kopje op tafel.** This cannot be done, however, with **Het kopje staat op tafel.**

### 4 *En dan waren er de wijngaarden!*

The Dutch equivalent of English 'there is/there are' is **er is/er zijn**. In this particular example, the sentence starts with **dan** (i.e. not the subject of the sentence), and so inversion takes place. Note also, the verb (**waren**) is in the past tense.

### 5 Irregular and strong verbs

There are a number of irregular and strong verbs used in the simple past tense in this text. These verbs were covered in *Dutch in Three Months* §32, 34 & 54, but the infinitive forms and past participle are given below to refresh your memory.

| INFIN. | PAST TENSE | PERFECT AUXILIARY | PAST PART. | |
|---|---|---|---|---|
| **bestaan** | **bestond/bestonden** | **heeft** | **bestaan** | exist |
| **ontstaan** | **ontstond/ontstonden** | **is** | **ontstaan** | arise, come into being |
| **gaan** | **ging/gingen** | **is** | **gegaan** | go |
| **krijgen** | **kreeg/kregen** | **heeft** | **gekregen** | obtain, get |
| **beginnen** | **begon/begonnnen** | **is** | **begonnen** | begin |
| **zijn** | **was/waren** | **is** | **geweest** | to be |
| **blijven** | **bleef/bleven** | **is** | **gebleven** | remain |
| **worden** | **werd/werden** | **is** | **geworden** | become |

### 6 Use of *men*

The passage contains a number of examples of the use of this pronoun. The literal meaning of **men** is 'one'. However, in English the use of the pronoun 'one' has stylistic connotations which are not present in the Dutch **men**. It is often better to render this pronoun in English with a different, indeterminate pronoun or noun such as **'they'**, **'people'**, etc. For example:

**Dus ging *men* groenten kweken.** So *they* began growing vegetables.
**Wat kweekte *men* toen?** What did *people* grow in those days?

## *Oefeningen bij Leestekst 2/Exercises on Reading Passage 2*

**13** *This is a comprehension exercise. Read through Leestekst 2 again. Now imagine you have been asked by someone who does not speak any Dutch to write down the main points of the text. List these points* **in English** *in the order in which they occur in the text. Do not attempt a complete reproduction/transcription of the text – remember, you are only noting the essential points. You should aim to write down about ten points. Then compare your answers with the model answers at the back of the book. Are there any differences?*

**14** *The following sentences are not good Dutch. Make them more acceptable by adding an introductory 'er'. The first one has been done for you as an example. Don't forget to keep the verb in position 2.*

1 Een man zit op de stoel. *Er zit een man op de stoel.*
2 Een boek ligt op de kast.
3 Vogels zitten in die bomen.
4 Brusselse spruitjes staan in mijn tuin.
5 Iemand heeft hier gerookt.

*This time, substitute the pronoun 'er' for the noun. Again, the first one has been done for you.*

6 Wij wonen in het huis. *Wij wonen erin.*
7 Zij speelt met de bal.
8 Ik sta naast de boom.
9 Jij loopt achter de fiets.
10 Jullie zitten voor het raam.

**15** *Translate the following sentences into English:*

1 Mijn zus studeert al drie maanden aan de universiteit.
2 Hun bus vertrekt pas over een half uur.
3 Ben je hier al lang?
4 Nee, ik kom pas binnen.
5 Ze hebben al lange tijd groenten gekweekt.
6 Men begon echter pas veel later fruit te kweken.

## GRAMMATICA

### Some uses of the infinitive

The infinitive is the form in which we look a verb up in the dictionary. For example **eten** 'to eat'. The infinitive never changes its form. Sometimes an infinitive in Dutch is preceded by **te** which is roughly equivalent to English 'to'. However the use of **te** does not always correspond to the use of 'to'.

#### 1 Infinitive with *te*

**Om** + **te** + infinitive

In this construction, **om** introduces the clause and **te** + infinitive are placed at the end. The main function of this construction is to express a purpose or aim. It can be paraphrased in English as 'in order to', although it is usually translated by 'to':

**Ik ging de stad in *om* boeken *te kopen*.**
I went into town (*in order*) *to buy* books.

There are many occasions where the sense of purpose being expressed is weak and where **om** can be omitted in Dutch. In this case, there is no idea of 'in order to':

**Vergeet niet (*om*) *te komen*.**
Don't forget *to come*.

Let's look at the example in our text: **Ik heb er duizenden *in te halen*.** (I have thousands *to catch up* with.) Here the **om** is omitted. Notice, too, that the infinitive is that of the separable verb **inhalen**. With separable verbs, **te** always comes between the prefix and the rest of the verb.

#### 2 Infinitive without *te*

On signs, the infinitive can be used to give a general instruction or command:

**Niet roken.** No smoking.
**Hier geen fietsen plaatsen a.u.b.** No bikes please.

In spoken Dutch, the infinitive can be used instead of the imperative. (See *Dutch in Three Months* §20.) It is less formal:

**Niet doen!** Don't do that!
**Opschieten!** Get a move on!

A weaker form of this is the use of the infinitive for encouragement. This use can be found in Leestekst 1, where the writer could be addressing either himself or the reader:

**Nooit meteen zeggen.**
Never say (what you want) straight away.

**Eerst rustig kijken . . .** .
First calmly look . . . .

### 3 Infinitive as noun

An infinitive can be used as a noun. It is always a **het**-word. For example, **kweken** (to cultivate), **het kweken** (cultivation) – see this lesson's Leestekst 2.
Another example can be found in Les 1 (Leestekst 2): **het reizen** – travelling. You can do this with any verb, and it is a simple way to increase your word-power in Dutch.

## *Oefeningen/Exercises*

**16** *Complete the following sentences with an* **om** + **te** + *infinitive construction. For example:* Jullie moeten een taxi nemen//om op tijd aan te komen. *Suggested answers are given at the back of the book.*

1 Ik ging de stad in _____ .
2 Hij bleef thuis _____ .
3 Zij belde op _____ .
4 We deden ons best _____ .
5 Ik kocht bloemen _____ .

**17** *Translate the following sentences into Dutch:*

1 I am trying to learn Dutch.
2 Don't laugh!
3 He went to the shop to buy milk.
4 Don't forget to write home.
5 First read the text before you start the exercise.
6 They had to work hard to pay for their new house.
7 You have a lot to do.

**18** *Make infinitive nouns in Dutch equivalent to the English nouns below. For example:* laughter – **het lachen**. *You need look no further than Leestekst 2 for the vocabulary!*

cooking; importation; development; existence; discovery

## Luistertekst/Listening Passage

*Follow the same procedure as for the listening text in Les 1.*

*Woordenschat/Vocabulary*

| | |
|---|---|
| **reserveren** | to reserve |
| **de hoek** | corner |
| **bestellen** | to order |
| **prima** | fine, great |
| **de dagsoep** | soup of the day |
| **de erwtensoep** | pea soup |
| **het hoofdgerecht** | main course |
| **de varkenshaas** | fillet of pork |
| **gebakken aardappelen** | small, whole, deep-fried potatoes |
| **de garnaal** | shrimp |
| **daarna** | then, after that |
| **de lamskotelet** | lamb chop, lamb cutlet |
| **de bloemkool** | cauliflower |
| **de asperge** | asparagus |
| **de snijboon** | runner bean |
| **de sperzieboon** | French bean |
| **gemengd** | mixed |
| **de huiswijn** | house wine |
| **de rekening** | the bill |

*Uitdrukkingen/Phrases*

| | |
|---|---|
| **heeft het gesmaakt?** | did you enjoy your meal? |

### Zullen we bestellen?

*Andrew Black has arranged to have lunch with a Dutch business associate (**de relatie** or **zakenrelatie** in Dutch), Lies Braakman. They go to a restaurant together.*

*Serveerster* Goedemiddag meneer, mevrouw.
*AB* Goedemiddag. Heeft u misschien een tafeltje voor twee personen?
*Serveerster* Hebt u gereserveerd, meneer?
*AB* Nee.
*Serveerster* Dan heb ik alleen die tafel daar in de hoek.

*AB* Dat is prima. Dank u wel.
Mogen we de menukaart alstublieft?
*Serveerster* Natuurlijk, meneer. Alstublieft.

. . . . . .

*LB* Zullen we bestellen?
*AB* Ja. Zullen we de dagsoep nemen?
*LB* Erwtensoep? Nee, dank je. Veel te zwaar.
*AB* Die neem ik wel. En als hoofdgerecht wil ik een varkenshaasje met mosterdsaus en gebakken aardappelen. En jij, Lies?
*LB* Ik begin met garnalen. Daarna lamskoteletten, denk ik, met frites. Wat voor groenten wil je?
*AB* Nou, ze hebben vandaag bloemkool, asperges, snijbonen en sperziebonen. Je kunt ook gemengde groenten bestellen.
*LB* Laten we dat maar doen.
*AB* Goed zo. Wat zullen we drinken?
*LB* Ik wil graag een glas witte huiswijn.
*AB* Ik ook. En een mineraalwater.

. . . . . .

*Serveerster* Zo, heeft het gesmaakt?
*AB* Ja, het was heel lekker, dank u.
*Serveerster* Wilt u nog een dessert bestellen?
*AB* Nee, dank u. Maar wel koffie, alstublieft.
*Serveerster* Twee koffie?
*AB* Ja, graag. Mogen we ook de rekening hebben?
*Serveerster* Jazeker, meneer.

## Using your spoken Dutch

### 1 Polite Requests

You can make a request sound polite <u>either</u> by using the auxiliary verb **mogen** (note that the infinitive **hebben** is optional):

**Mogen we de menukaart (hebben)?** May we have the menu?
**Mag ik de rekening (hebben)?** May I have the bill?

<u>or</u> by inserting **misschien** into the request:

**Heeft u misschien een tafel voor twee personen?**
Have you/would you have a table for two?

## 2 Please

There are two ways of saying 'please' in Dutch.

a) **alstublieft/alsjeblieft** is used to reinforce a request:
**Mogen wij de menukaart alstublieft?**
May we have the menu, please?

Choose the form which matches the pronoun you are using, i.e. **alstublieft** goes with **u** and **alsjeblieft** goes with **je**.
NOTE **Alstublieft/alsjeblieft** has another meaning. If you are handing someone something, it is not polite to do this in silence. You say **alstublieft/alsjeblieft** as you hand it over. This is what the waitress does when she hands over the menu in the conversation you have just heard.

b) **graag** is used to confirm a request:
**Ja, graag.** Yes, please.

### *Oefeningen/Exercises*

**19** *Answer the following questions* ***in Dutch****, combining* ***er*** *with the appropriate preposition from the list below. Since each answer begins with* ***Nee****, you will need to choose a preposition whose meaning is the opposite of the preposition in the question. The first one has been done for you as an example.* ***Het voorstel*** *= proposal.*

1 Staat zij voor het huis? *Nee, zij staat* ***erachter****.*
2 Loopt de hond in de tuin? *Nee,* ____ .
3 Ligt de krant op de tafel? *Nee,* ____ .
4 Staat het pond onder de één gulden? *Nee,* ____ .
5 Zijn zij voor het voorstel? *Nee,* ____ .

**20** *For each of the following sentences, say how '****of****' is used: to link sentences either as a co-ordinating conjunction (see Leestekst 1, note 2) or as a subordinating conjunction, or to link words. Then translate the sentences into English (****slap*** *= weak).*

1 Zullen we thuis eten of naar een restaurant gaan?
2 Wie is de baas hier, jij of ik?
3 Ik weet niet of hij er al is.
4 Vind je de thee lekker, of is hij te slap?
5 Zij vroeg hem of hij Nederlander was.

→

**21 Spreekoefening**

*Situation: You have just gone into a restaurant. The waiter comes towards you. He speaks first and you must try to respond.*

*Kelner* **Goedenavond meneer.**
*You* Greet him and ask if he's got a table for two.
*Kelner* **Ja, meneer. Deze tafel bij het raam.**
*You* Say that's fine and ask for the menu.
*Kelner* **Alstublieft. Wilt u al bestellen?**
*You* Say yes and order two lamb cutlets with chips.
*Kelner* **Wilt u ook salade erbij?**
*You* Say yes and that you also want a bottle of red wine.
*Kelner* **Goed, meneer.**

. . . . . . . . . . . . . . . .

*Kelner* **Meneer, mevrouw – heeft het gesmaakt?**
*You* Say yes and ask for the bill.
*Kelner* **Jazeker, meneer.**

# Les Drie **Wonen**

## Leestekst 1/Reading Passage 1

*As in previous lessons, read through the new vocabulary and notes first. Then read the text as often as you feel you need to before starting Exercises 22–24.*

### 'Dit plein hier was onze tuin'

*Een bekende Vlaamse televisie-presentatrice vertelt over haar leven in een herenhuis aan het Hogeschoolplein in Leuven.*

Mijn eerste herinnering aan dit pleintje kun je niet echt vrolijk noemen. Het werd pas vier jaar later echt leuk, toen we met een groep van acht afgestudeerden in dat prachtige oude herenhuis op nummer 12 gingen wonen. De eigenaar was een gepensioneerd advocaat die in de waan verkeerde dat hij zijn huis aan een jong stel verhuurde. Wist hij veel dat hij een hele volksstam over de vloer kreeg?

Vier jaar lang had ik in kamertjes van een voorschoot groot gehokt, met een krap bed waarin je met gekrulde tenen moest slapen. En dan opeens zo'n zalig groot huis met hoge plafonds en genoeg ruimte voor iedereen. Alles deden we samen: eten, uitgaan, met vakantie gaan. Voor het koken en poetsen hadden we een beurtrol, dat was prima geregeld. En dat plein hier, dat was onze tuin. Daar leefden, aten en speelden we.

Na twee jaar had onze huisbaas er genoeg van. Toen moesten we met zijn allen aan de slag om het huis in zijn oorspronkelijke staat te herstellen. Met het deel van de waarborg dat we terugkregen, zijn we prompt een pint gaan drinken. Het hele plein moet een enorme zucht van opluchting geslaakt hebben, toen wij weggingen.

*Woordenschat/Vocabulary*

| | |
|---|---|
| **televisie-presentatrice** | (female) television presenter |
| **het leven** | life |
| **het herenhuis** | grand town house |
| **het plein(tje)** | square |
| **de herinnering** | memory |

| | |
|---|---|
| **vrolijk** | happy |
| **noemen** | call |
| **de groep** | group |
| **de afgestudeerde** | graduate |
| **prachtig** | wonderful |
| **de eigenaar** | owner |
| **gepensioneerd** | retired |
| **de advocaat** | lawyer |
| **het stel** | couple |
| **verhuren** | rent out |
| **de volksstam** | tribe |
| **hokken** (colloquial) | to live |
| **krap** | too small |
| **gekruld** | curled up |
| **de teen** | toe |
| **zalig** | blissful(ly) |
| **het plafond** | ceiling |
| **de ruimte** | space |
| **poetsen** | to clean |
| **de beurtrol** | rota |
| **de huisbaas** | landlord |
| **oorspronkelijk** | original |
| **de staat** | state, condition |
| **herstellen** | restore |
| **de waarborg** | guarantee (money paid to landlord to cover damage) |
| **terugkrijgen** | to get back |
| **prompt** | prompt(ly) |
| **de pint** | glass of beer |
| **enorm** | huge |
| **de opluchting** | relief |

## *Uitdrukkingen/Phrases*

| | |
|---|---|
| **in de waan verkeren dat . . .** | to labour under the delusion that . . . |
| **Wist hij veel dat . . . ?** | Little did he know that . . . |
| **van een voorschoot groot** | the size of an apron (i.e. very small) |
| **dat was prima geregeld** | the arrangement worked very well |
| **met zijn allen** | all (of us) |
| **aan de slag moeten** | to have to get down to work |
| **een zucht slaken** | to heave a sigh |

## Kommentaar op Leestekst 1/Notes on Reading Passage 1

**1** ***Leuven***

An old university town in Flanders.

**2** ***om*** **+** ***te*** **+ infinitive.** (See Les 2, Grammatica.)

Here is an example of this construction used in a longer sentence. You can see that it is really another kind of 'sandwich construction':

***om*** **het huis in zijn oorsponkelijke staat** ***te herstellen***

**3 Infinitive as noun.** (See Les 2, Grammatica.)

Note the examples in Leestekst 1:

**het koken en poetsen**

## 4 *toen*

This word has two distinct meanings and grammatical functions: it is both an adverb meaning 'then' and a subordinating conjunction meaning 'when'.

a) **toen** as adverb

In Dutch there are two adverbs meaning 'then' – **dan** and **toen.** **Toen** is only used in sentences where the verb refers to past time:

**Toen moesten we met zijn allen aan de slag.**
Then we all had to get down to work.

Sometimes **toen** can even be translated as 'at that time' or 'in those days'. There is an example of this in Les 2, Leestekst 2:

**Wat kweekte men toen?**
What did people grow at that time?

b) **toen** as conjunction

**Toen** can also function as a subordinating conjunction, i.e. it introduces a subclause. (See *Dutch in Three Months* §118.) This means that the verb is placed at the end of the clause. There is an example of this in the second sentence of Leestekst 1.

When it is used as a conjunction, **toen** can be used only with verbs in the simple past or past perfect tenses, and is translated by 'when':

**Het was laat toen wij weggingen.**
It was late when we went away.

**Ik was blij toen ik het gedaan had.**
I was happy when I had done it.

REMEMBER You can tell which **toen** is which by looking at the position of the verb. When **toen** is used as an adverb, the verb will be in second place, and when **toen** is used as a conjunction, the verb will be in final position.

REMEMBER also that **toen** can <u>only</u> be used when the past is being referred to. When referring to the future or the present time, use **als** or **wanneer:**

**Het zal laat zijn als wij weggaan.**
It will be late when we go away.

**Ik zal blij zijn wanneer ik het gedaan heb.**
I'll be happy when I've done it.

### *Oefeningen bij Leestekst 1/Exercises on Reading Passage 1*

22 *Try answering the following questions about the text in Dutch. Keep your answers as simple as possible and see how they compare with the model answers at the back of the book. In most cases, a single word or a phrase will do.*

1 Hoeveel mensen woonden er in het herenhuis?
2 Hoeveel mensen verwachtte de oude advocaat?
3 Hoe lang had de vertelster [= narrator] in kleine kamertjes gewoond?
4 Waarom zegt de vertelster dat het plein hun tuin was?
5 Hoe lang duurde het voordat ze weg moesten uit het huis?
6 Wat hebben ze met het geld gedaan dat ze van de waarborg terugkregen?

23 *Fill in the gaps in the text below using words from the list. Each word occurs once only.*

**de bewoner** (inhabitant); **de huurder** (tenant); **eigenaar; herenhuis; huisbaas; ruimte; verhuren; waarborg**

Als de _____ van een groot _____ wat extra's wil verdienen, kan hij altijd kamers _____ – dat wil zeggen, _____ worden. Er zal zeker genoeg _____ zijn in zo'n huis voor alle _____ Hij kan beter een _____ vragen van de nieuwe _____ voor het geval dat ze dingen kapot maken.

24 *When learning a language it is important to learn how to read for the gist i.e. to understand the main points. However, it is also useful to go over a text until you have got to grips with every bit of it. In particular, this will help you develop an awareness of the finer points of style and grammar. Translate the last paragraph of Leestekst 1 and check your version against the model translation at the back of the book. REMEMBER, your version can be different without being wrong.*

## Leestekst 2/Reading Passage 2

*Many houses and apartments in the Netherlands and Flanders are advertised for sale or rent via the newspaper classified advertisements (***de advertentie***). These advertisements are characterized by abbreviations which, while not 'official', have come to be understood by most people. For the uninitiated, however, they can present a problem. Read through the sample advertisements below, which are taken from newspapers, and see if you can work out what some of the abbreviations mean. Then look at the key which follows the texts. Note that the same feature sometimes has a slightly different abbreviation.*

**TE HUUR: aangeboden**

**a)**

**NIEUW APP.** HP: 18,500 fr/mnd., met zeer ruime living, garage, berging, 2 slpks., alle komfort. Vrij: 15 november e.k.

**b)**

**HUIS,** tuin, garage, nabij E40. Hal, living, voll. ing. kkn., 3 slpks., badk., c.v. Vrij: 23 sept. Bezoek woensdag 14-19u of zaterdag 14-17u

**gevraagd**

**c)**

Werkende jonge man zoekt benedenwoning in A'dam.

**d)**

Pas afgestud. jonge man zoekt woonr./ kamer in A'dam.

**TE KOOP**

**e)**

**Halfvrijstaand huis** met tuin, garage en berging.
Beg. gr.: hal, grote woonkamer, keuken met kasten.
1e verd.: 3 slpk., badkamer met ligbad en toilet,
vaste trap naar 2e verd.: 4e slpk., bergruimte.
Zonnige tuin.

## *Woordenschat/Vocabulary*

| | |
|---|---|
| **te huur** | to let |
| **aangeboden (aanbieden)** | offered |
| **app. = het appartement** | flat, apartment |
| **HP = de huurprijs** | rent |
| **ruim** | large |
| **de living** (Belg.) | living-room; sitting-room |
| **de garage** | garage |
| **de berging** | store-room |
| **slpk. = de slaapkamer** | bedroom |
| **het komfort** | comfort |
| **e.k. = eerstkomend** | next, forthcoming |
| **nabij** | close to |
| **E40** | E40 motorway (Belgium) |
| **de hal** | hall |
| **inrichten** (sep.) | to equip, lay out |
| **volledig** | full(y), complete(ly) |
| **badk. = de badkamer** | bathroom |
| **het bezoek** | visit |
| **19u = 19 uur** | 7 p.m. |
| **gevraagd (vragen)** | wanted |
| **de benedenwoning** | ground-floor flat |
| **A'dam** | Amsterdam |
| **afgestud. = afgestudeerde** | graduate |
| **woonr. = de woonruimte** | accommodation |
| **de woonkamer** | living room |
| **verd. = de verdieping** | floor, storey |
| **het ligbad** | bath |
| **het toilet** | WC |
| **de bergruimte** | storage space |

## *Uitdrukkingen/Phrases*

| | |
|---|---|
| **fr/mnd = frank/maand** | (Belgian) francs per month |
| **voll. ing. kkn. = volledig ingerichte keuken** | fully fitted kitchen |
| **c.v. = de centrale verwarming** | central heating |
| **beg. gr. = begane grond** | ground floor |
| **(de) vaste trap** | fixed staircase |

## *Dutch in Belgium and the Netherlands*

The language spoken in the Netherlands and Flanders is the same: Dutch. There are, however, some differences in usage between Netherlands Dutch and Belgian Dutch. Apart from pronunciation, the most striking differences are in vocabulary, with different words being used in the North and South to describe the same thing. One good example of such a lexical difference which you may come across is **de goesting**, which is used very commonly in Belgium and is equivalent to **de zin** as used in Holland. The word is normally used as part of the expression **goesting in iets hebben** (cf. **zin in iets hebben**), 'to feel like doing something'. The adverts above also illustrate some of these typically Flemish vocabulary items. They are shown below, together with the equivalents generally used in the Netherlands.

| Belgium | The Netherlands |
|---|---|
| **de living** | **de woonkamer** |
| **het appartement** | **de flat** |
| **e.k.** (= **eerstkomend**) | **a.s.** (= **aanstaande**) |
| **nabij** | **vlakbij** |

When used in their abbreviated forms, **eerstkomend** and **aanstaande** follow the noun: **15 november e.k., maandag a.s.**

**2. Huis & tuin**

„HUIS & TUIN" elke zaterdag in DE WOONGIDS.
Speciale voorwaarden voor profes-sionele adverteerders. Bel ons.

**3. Vastgoed te huur**

**ANTWERPEN** omg. Bruggestr. & St.-Janspl.: klein GEM. app., 2 de verd., met event. HUISRAAD. Hall, liv., keuk. met geintegreerd bad, slpk., wc., parlo., alle komf. en aansluit. Onmidd. vrij. 10.000 Fr + energie ± 2.000 fr. Studenten ook welkom. Bez. enkel na afspr. **03-658.48.55 tss 7-13 u.**

**GRIMBERGEN, Zonneveld: villa, Beatrijsl. 25.** Gr. liv., 3 slpk., badk., inger. keuken, gar., bergpl., gr. hof, aangename, goede ligg. Vrij 1 aug. '93. Tel. dag: 014-21.50.27, na 19 u.: 02-731.64.55.
BR751900500

Prachtige villa op 70 are te **LINDEN,** 10 min. v. Leuven, 20 min. v. Brussel. Naast ongestoorde natuur, luxe comfort, tennisbaan, ... Verkieslijk gemeub. en vr de duur van 1 jaar. Tel. **016-62.19.76.**
BR771801500

**OVERIJSE: villa t.h.**
**in BRAFFORTLN 7,**
met hall, 2 eetk., salon, ing. keuk., bur., 4 slpk., 2 badk., 2 afz. wc, 2 keld., gar. 4 wag., centr. verw. mazout, 2 terrassen, op 11 are grond, met onderhouden hof. Alles in perf. staat! **Tel. 02-687.79.66.**
BR781602000

Riante 3-gevelvilla, bel-étâge in **GRIMBERGEN.** Voll. inger. keuk., badk., 3 slpks., grote liv. met o.h., 2 garages, waspl., berging, tuin. Park De Burcht, bij Vilvoorde. 38.500 fr./mnd. **02-269.30.65.**
BR791800100

**Mooie villa te HEUSDEN.** Rustig gelegen, alle komfort, centr. verw. mazout, dubb. garage, grote tuin, 4 grote slpks, 2 badks, grote liv., inger. keuken, 34.000 fr./maand. Onmiddellijk vrij.

## Kommentaar op Leestekst 2/Notes on Reading Passage 2

### 1 *november, zaterdag*

Remember that days of the week and months of the year are spelt without capital letters in Dutch.

### 2 *15 november, 23 september*

Remember that when giving dates, if the month is mentioned, the cardinal number is used. If there is no mention of the month, then the ordinal is used:

**3 januari**/the 3rd of January
**de derde** (**3e**)/the 3rd

### 3 *werkende jonge man*

This is an example of the present participle which is not used so much in Dutch as in English. (See also *Dutch in Three Months* §67.) It is formed by simply adding **'d'** to the infinitive of the verb. Once it has been formed, the present participle can be used as an adjective, which means it obeys the normal rules of inflection, adding an **'e'** when necessary, as here. You will find the basic rules for the inflection of adjectives in *Dutch in Three Months* §35.

## *Oefeningen bij Leestekst 2/Exercises on Reading Passage 2*

25 *Read through the advertisements again. Then **without looking at the Notes**, write down the equivalents as used in the Netherlands of the following 'Belgian Dutch' words. Then write down the English meaning.*

**de living, e.k., nabij, het appartement**

26 *Rewrite advertisement **b)** above, using the same vocabulary, but so that it reads as a running text. Write out the abbreviated words in full. You will need to add appropriate verbs, etc. As an example, if you were to do this with advertisement **a)**, you might write something like:* ***Het appartement is nieuw, en de huurprijs bedraagt 18,500 frank per maand. Het heeft een zeer ruime living ...**, and so on. You will find a model answer at the back of the book, though it may well differ from your own answer.*

## GRAMMATICA

### Relative clauses

A relative clause supplies information about a preceding noun. A relative clause is introduced by a relative pronoun. This pronoun refers back to the preceding noun. In English, 'which' is used to refer to things and 'who' to people. In Dutch, **die** and **dat** are used for both people and things.

#### 1 Relative pronouns

When referring to things, you should use **die** to refer to **de**-words and **dat** to refer to **het**-words:

**de pen die op tafel ligt**
the pen which is on the table
**het boek dat op tafel ligt**
the book which is on the table

**Die** is also used for referring to people denoted by **de**-words:

**de man die aan tafel zit**
the man who is sitting at the table

**de vrouw die het verhaal vertelt**
the woman who is telling the story

People can also be denoted by **het**-words, for example **het meisje**, **het mannetje**. In this case, the relative pronoun is **dat**:

**het kind dat op straat speelt**
the child which/who is playing in the street

NOTE In English the relative pronoun can be left out – Can you see the child playing in the street? – but in Dutch it must be present:

**Zie je het kind dat op straat aan het spelen is?**

**Die** is of course used with all plural nouns since these are all **de**-words. For example:

**Zie je de kinderen die op straat spelen?**
**Ik houd van huizen die erg oud zijn.**

## 2 The combination relative pronoun + preposition

a) To refer to things
Turn back to Les 1, Leestekst 1 and revise Note 1. The same principle applies in the case of relative clauses. This time it is **die** and **dat** (rather than **het**) which cannot be used after a preposition when the pronoun is referring to a thing rather than a person. Instead, the construction **waar** + preposition is used, for example **waarmee, waarvan, waarvoor, waarop.**

This construction is used when referring to things:

**Het bed waarin ik slaap is veel te krap.**
The bed in which I sleep is much too small.
**De lepels waarmee we eten zijn van zilver.**
The spoons we are eating with are silver.

NOTE Just as with **er** + preposition, you will often find the 'sandwich' construction with **waar** + preposition. For example:
**Het bed *waar* ik elke nacht *in* slaap is veel te krap.**

b) To refer to people
The construction 'preposition + **wie**' is used. For example:

**De man met wie ze staat te praten is mijn oom.**
The man to whom she is talking is my uncle/The man she is talking to is my uncle.
**De vrienden van wie ik de auto heb geleend weten dit nog niet.**
The friends whose car I borrowed don't know yet.

## *Oefeningen/Exercises*

**27** *Read the following short passage and underline the relative clauses.*

**verlangen naar** to long for; **delen** to share; **overnachten** to stay the night; **gezellig** cosy; **de werktafel** desk; **ongestoord** undisturbed

Elk kind verlangt naar een eigen kamer waarin het slapen, spelen en werken kan. De kamer heeft natuurlijk een tv waarnaar het de hele dag kan kijken en een computer die het met niemand hoeft te delen. Naast een eigen bed liefst een tweede dat voor overnachtende vriendjes gebruikt kan worden. Wat gezellig! Iemand met wie je 's nachts kunt liggen praten. En misschien een werktafel waaraan je ongestoord je huiswerk kunt maken.

**28** *Fill in the gaps in the sentences below with a relative pronoun.*

1 De schoenen _____ ze draagt zijn erg versleten.
2 Zie je de vrouw met _____ Fred staat te praten?
3 Ik heb een boek _____ je erg interessant zou vinden.
4 De taart _____ we kochten was ontzettend lekker.
5 Zij is een van de docenten bij _____ ik college heb.
6 Hij wil in een herenhuis wonen _____ zeven slaapkamers heeft.

**29** *Make sentences containing relative clauses as in the following example:*

Hij heeft het druk met zijn huiswerk voor Frans. →
*Either* Dit is het huiswerk voor Frans waarmee hij het druk heeft.
*Or* Dit is het huiswerk voor Frans waar hij het druk mee heeft.

*Your answers should start with* **Dit is/zijn** + *the underlined noun phrase.*

1 Ons buurmeisje helpt met het werk in de tuin.
2 We hebben zo lang op de vakantie in Italië gewacht.
3 Mijn man luistert graag naar de opera's van Mozart.
4 Zij houdt erg veel van het Franse eten.
5 Ik kijk graag naar de tv-programma's over koken.

# Luistertekst/Listening Passage

## *Woordenschat/Vocabulary*

| | |
|---|---|
| **beschikbaar** | available |
| **leeg** | empty |
| **gemeubileerd** | furnished |
| **de woning** | flat, dwelling |
| **luxe** | luxurious |
| **openbaar** | public |
| **het vervoer** | transport |
| **hiernaast** | next door |
| **praktisch** | practically |
| **alweer** | again |
| **telefoonkosten** | telephone bills (*lit.*: costs) |
| **elektriciteitskosten** | electricity bills (*lit.*: costs) |
| **meevallen** (sep.) | to be not too bad, to be better than expected |
| **opzeggen** (sep.) | to terminate; to give notice |

## *Uitdrukkingen/Phrases*

| | |
|---|---|
| **in verband met** | in connection with |
| **belangstelling voor iets** | interest in something |
| **geen vijf minuten hier vandaan** | less than five minutes from here |
| **voor de deur** | on the doorstep |
| **dat valt mee** | that's not too bad |
| **om een uur of drie** | about 3 o'clock |
| **tot straks** | see you later |

## Is de flat nog vrij?

***Jan van Doorn is looking for a new flat. After looking through the '*****aangeboden*****' columns in the newspaper, he telephones a prospective landlord.***

*Rob Dekker* Met Dekker.

*Jan van Doorn* Goedemorgen. U spreekt met Jan van Doorn. Ik bel in verband met uw advertentie in de krant van gisteren. Is de flat nog vrij?

*RD* Ja, hoor, die is nog vrij. Maar er is veel belangstelling voor.

*JvD* Hij is volledig gemeubileerd, niet waar?

*RD* Ja, dat klopt, meneer. De hele woning is erg mooi ingericht, met een luxe badkamer en een hele moderne keuken. En er is een zeer ruime garage.
*JvD* En als ik het openbaar vervoer wil gebruiken?
*RD* Geen probleem. Er is een bushalte praktisch voor de deur.
*JvD* Uitstekend. En hoeveel was de huur ook alweer?
*RD* Fl. 500,- per maand. En dan moet u natuurlijk uw eigen telefoon- en elektriciteitskosten betalen.
*JvD* Hmm, dat valt mee. Moet ik ook een waarborg betalen?
*RD* Ja, dat is toch normaal. U betaalt Fl. 500, die u terugkrijgt als u de huur opzegt.
*JvD* Ik zou de flat graag willen zien. Kan ik misschien een afspraak maken?
*RD* Zeker. Vanmiddag, misschien? Om een uur of drie?
*JvD* Prima. Tot straks dan. Dag.
*RD* Tot straks, meneer. Dag.

## Using your spoken Dutch

### 1 Telephoning someone you don't know

When Dutch and Flemish people answer the phone, they normally do so by giving their name, rather than giving their number or simply saying 'Hello' (e.g. '*Met Dekker*' in the passage). You should then respond by giving your name using the formula

**U spreekt met . . .**

or simply

**Met . . .**

followed by your first name and surname.

If you are ringing a company, shop, etc., you might need to ask to be put through to the relevant department or person. Here are two ways of requesting this:

**Kunt u mij doorverbinden met de afdeling herenkleding, alstublieft?** Can you put me through to the men's clothing department, please?

You can also use **doorverbinden** with the name of the person you want to speak to. Alternatively, you might say:

**Mag ik meneer Smit spreken, alstublieft?**

or:

**Zou ik meneer Smit kunnen spreken, alstublieft?**
Could I speak to Mr Smit please?

A typical response might be:

**Ogenblikje, ik verbind u even door.**
One moment, I'm putting you through.

## 2 Obtaining/confirming information

Notice that Jan van Doorn's questions are designed not only to elicit new information, but also to confirm information which he already has. When he wants to obtain new information, he asks a simple question:

**Is de flat nog vrij?** Is the flat still available?

His next question is designed to confirm what he already knows (i.e. that the flat is furnished). In order to do this, he uses a statement of fact, to which he adds a 'tag question':

**Hij is volledig gemeubileerd, niet waar?**
It's fully furnished, isn't it?

Later on Jan confirms the amount of the rent by adding **ook alweer** (*again*) to the end of the straight question:

**Wat is de huur?** How much is the rent?
**Hoeveel was de huur ook alweer?** How much was the rent again?

Note that Dutch, like English, uses the past tense of the verb (**was**) in this expression.

## 3 Making an appointment

**Kan ik misschien een afspraak maken?**

This is a polite way of making an appointment. It can be made more specific by the addition of the name of the person you wish to see or the purpose of the appointment:

**Kan ik misschien een afspraak maken met meneer Dekker?**
**Kan ik misschien een afspraak maken om de flat te bekijken?**

The formulation, as with many expressions requiring politeness, can be varied:

**Ik zou graag een afspraak willen maken . . .**
**Mag ik een afspraak maken . . .**

## *Oefeningen*

**30**

a) *Give the present participle of each of the following verbs.*

**werken**
**staan**
**liggen**
**eten**
**vechten**
**slapen**

b) *Now practise using present participles as adjectives as in the example below.*

| | | |
|---|---|---|
| **werken** | **een man** | *een werkende man* |
| **lachen** | **een meisje** | |
| **slapen** | **een hond** | |
| **galopperen** | **een paard** | |
| **vechten** | **een jongen** | |
| **spelen** | **een kind** | |
| **steken** (sting) | **een insekt** | |
| **brullen** (roar) | **een dier** | |
| **huilen** | **een baby** | |

**31** *In each of the following sentences, saay whether '**toen**' is used as a subordinating conjunction or as an adverb. Then translate the sentences into English.*

1 Ik was aan het koken toen zij kwamen.
2 Zij zijn gisteren gekomen, en toen zijn ze met z'n allen uit eten gegaan.
3 Wat deed je toen hij dat zei?
4 Hij stond te laat op, en toen miste hij zijn bus.
5 Toen ik jong was, woonde ik in Haarlem. →

**32 Spreekoefening**

*Imagine you have seen advertisement* **b)** *in Leestekst 2 advertised in the local paper. The house is being let by a housing association (***de woningbouwvereniging***) and the advert gives Mia Peters as the contact. You telephone the housing association.*

| | |
|---|---|
| *Woningbouwver.* | **Goedemorgen, Woningbouwvereniging Claes. Met Michelle Klein.** |
| *You* | Ask to be put through to Mia Peters (**doorverbinden**) |

....

| | |
|---|---|
| *Mia Peters* | **Met Mia Peters, goedemorgen.** |
| *You* | Introduce yourself and say why you have rung. Ask if the house is still available. |
| *MP* | **Ja, die is nog niet verhuurd, maar er is veel belangstelling voor.** |
| *You* | Ask whether the house is furnished. |
| *MP* | **Ja, hoor, het is volledig gemeubileerd.** |
| *You* | Confirm how many bedrooms there are. |
| *MP* | **Ja, dat klopt, er zijn er drie. En de badkamer is ook op de eerste verdieping.** |
| *You* | Ask how much the rent is. |
| *MP* | **25,000 frank per maand, inclusief elektriciteits- en verwarmingskosten. De telefoonkosten moet u natuurlijk zelf betalen.** |
| *You* | Say that you understand. Ask if you can make an appointment to see the house on one of the days specified in the advertisement. |
| *MP* | **Ja, dat kan. Zullen we zeggen: zaterdag om 3 uur 's middags?** |
| *You* | Tell her that's fine and thank her. |
| *MP* | **Tot uw dienst. Dag.** |

..WAAROM IK GRAAG VEEL GELD VERDIEN?
..DAARMEE KOOP JE EEN STUK VRIJHEID!
..RRIN
...RRING
RRRING!
RRING

# Les Vier **Werken**

## Leestekst 1

*This passage is taken from a classic of modern Dutch literature,* ***Karakter*** *by F. Bordewijk, published in 1937. It follows Katadreuffe from his humble beginnings as the illegitimate son of a housemaid through to partner in a firm of lawyers. He achieves this through grit and determination, in other words strength of character, rather than by being born into privileged circles. There is no room for distractions such as love, which is why, despite the strong mutual attraction between Katadreuffe and Lorna te George, she decides she can no longer work in the same office. Stroomkoning is the head of the law firm.*

> Zeer geachte Heer Stroomkoning
> Het spijt me meer dan ik tot uitdrukking kan brengen dat ik na zoveel jaren u onverwacht om ontslag moet vragen, maar bepaalde redenen die ik moeilijk kan uitleggen noodzaken mij daartoe. Het spreekt vanzelf dat ik ten opzichte van mijn salaris de consequenties van deze stap ten volle aanvaard. Ik dank u voor alle tegemoetkoming die ik van u ondervonden heb. Met beleefde groeten, ook aan Mevrouw,
>
> Lorna te George

Katadreuffe las het briefje eerst geheel door. Het was een zelfbewuste dameshand, maar allerminst een damesstijl. Het was de zakelijke correcte stijl van de advocaat, door haar jarenlange functie was zij doordrenkt met de stijl van het kantoor.

Haar handtekening voluit. Lorna te George. Toen las Katadreuffe die ene zin nog eens halfluid over. 'Het spreekt vanzelf dat ik ten opzichte van mijn salaris de consequenties van deze stap ten volle aanvaard'.

— Bedoelt ze, vroeg hij, dat ze haar laatst verdiende . . .
Stroomkoning bleef staan en viel hem in de rede.
— Juist, dat bedoelt ze. Ze doet afstand van haar salaris, Ze zal goddorie een kwartaal, een half jaar extra van me krijgen!

## *Woordenschat*

| | |
|---|---|
| **onverwacht** | unexpected(ly) |
| **bepaald** | certain |
| **de reden** | reason |
| **uitleggen** (sep.) | explain |
| **het salaris** | salary |
| **de stap** | step |
| **de tegemoetkoming** | help and understanding |
| **ondervinden** | experience |
| **doorlezen** (sep.) | read through |
| **geheel** | completely |
| **zelfbewust** | self-aware |
| **de dameshand** | lady's handwriting |
| **allerminst** | not at all |
| **de damesstijl** | lady's style |
| **zakelijk** | businesslike |
| **correct** | correct |
| **jarenlang** | long, lasting for years |
| **doordrenkt** | imbued |
| **de handtekening** | signature |
| **voluit** | in full |
| **overlezen** (sep.) | read again |
| **de zin** | sentence |
| **halfluid** | in a quiet voice |
| **laatst** | most recent(ly) |
| **juist** | exact(ly) |
| **goddorie** | by God |
| **het kwartaal** | quarter (of a year) |

## *Uitdrukkingen*

**(Zeer) geachte Heer/Mevrouw . . .** — Dear Mr/Mrs . . .

NOTE Dutch has two words, **Geachte** (formal) and **Beste** (informal), where English has one – 'Dear'

| | |
|---|---|
| **het spijt me** | I regret, I am sorry |
| **tot uitdrukking brengen** (formal) | to express |
| **om ontslag vragen** | to tender one's resignation |
| **iemand tot iets noodzaken** (formal) | to oblige someone to do something |
| **het spreekt vanzelf** | it goes without saying |
| **ten opzichte van** (formal) | in respect of |
| **de consequenties van iets aanvaarden** (formal) | to accept the consequences of something |
| **ten volle** (formal) | fully |
| **met beleefde groeten** (formal) | *lit.*: with polite greetings |

| | |
|---|---|
| **nog eens** | again, once more |
| **iemand in de rede vallen** | to interrupt someone |
| **afstand doen van** (formal) | to renounce, give up |

*Writing a formal letter*

Many of the phrases and expressions in Lorna's letter are typical of a formal, business style of letter writing (see below).

## Kommentaar op Leestekst 1

### 1 *daartoe*

You will find **daartoe** used in Lorna's letter:

> **... maar bepaalde redenen noodzaken mij daartoe**
> ... but certain reasons oblige me 'to that' i.e. to take that step

**Daartoe** consists of two elements: **daar**, which is related to **er** used as a pronoun, and **toe** which is a form of the preposition **tot**. If you look back to Les 1, Kommentaar op Leestekst 1, §1a you will see that **ertoe** means 'to it'. In this kind of construction, **er** can be replaced by **daar** or **hier**, which are translated as 'that' or 'this'. Compare the following three forms:

| **ertoe** | **daartoe** | **hiertoe** |
|---|---|---|
| to it | to that | to this |

### 2 *haar laatst verdiende ...*

Katadreuffe, who is speaking here, is not given a chance to finish his sentence by Stroomkoning. The missing word could be either **geld** or **salaris**, so we can translate the phrase as 'her most recently earned money'. **Laatst** is an adverb, so it does not add **-e**, whereas **verdiende** is an adjective and does add **-e**.

NEW RULE: After a possessive pronoun (**mijn, jouw, uw, zijn, haar, ons/onze, jullie, hun**) always add **-e** to the adjective.

### 3 *Stroomkoning bleef staan*

Here, **blijven** is used as an auxiliary verb with the infinitive **staan**. This type of construction will be discussed in more detail in Les 6, Kommentaar op Leestekst 1 §4. The particular combination **blijven staan** is usually translated as 'to stand still'.

## *Oefeningen bij Leestekst 1*

**33** *Say whether the following statements about the text are true or false.*

1 Lorna te George zegt dat ze de redenen voor haar brief zal uitleggen.
2 Katadreuffe vindt dat Lorna te George in de stijl van een advocaat schrijft.
3 Katadreuffe leest de zin nog eens waarin ze zegt dat ze de consequenties ten opzichte van haar salaris aanvaardt.
4 Hij schijnt haar niet te geloven.
5 Stroomkoning laat hem verder praten.
6 Stroomkoning zegt dat hij haar zelfs extra geld zal geven.

**34** *Answer the following questions in English. The aim is to help you to check whether you have understood the essence of the text.*

1 What do you think Lorna te George means by the sentence which begins 'Het spreekt vanzelf . . .'?
2 Why do you think Katadreuffe repeats this sentence?
3 What is Stroomkoning's response to this sentence?
4 What does this say about Stroomkoning's attitude to Lorna te George and her resignation?

**35** *Fill in the gaps in the sentences below with the noun from the vocabulary list which best fits the context.*

1 De advocaat wilde dat ik mijn ____ onderaan het papiertje zette.
2 Geloof jij dat er zoiets bestaat als een ____ die echt zoveel verschilt van een mannenstijl?
3 Het leukste aspect van mijn baan als secretaresse is het ____ dat ik elke maand krijg.
4 Weet u de ____ voor zijn plotseling ontslag?
5 Ik heb van mijn baas veel ____ ondervonden tijdens de ziekte van mijn man.
6 Het vragen van ontslag is een grote ____ in het leven van de meeste mensen.

# Leestekst 2

## Vacatures

**Secretaresse** m/v

voor een commercieel bedrijf in het centrum van Rotterdam. U verricht zelfstandig alle voorkomende secretariële werkzaamheden. Een goede kennis van geschreven en gesproken Frans is vereist.
Ervaring met tekstverwerking en steno is een voorwaarde. Deze full-time baan is voor langere tijd.

**Management-assistent(e)** (m/v)

voor een internationaal bedrijf in het centrum van Den Haag. U assisteert de directeur bij zijn werkzaamheden. Naast meerdere jaren secretariële ervaring, waarbij u gewend bent zelfstandig beslissingen te nemen, is een uitstekende beheersing van de Engelse taal vereist. Bent u creatief, hebt u een groot verantwoordelijkheidsgevoel en toont u een grote inzet, dan is deze full-time baan misschien iets voor u.

### *Woordenschat*

| | |
|---|---|
| **de vacature** | vacancy |
| **m/v = mannelijk/vrouwelijk** | male/female, m/f |
| **commercieel** | commercial |
| **het bedrijf** | company |
| **verrichten** | to carry out, perform |
| **zelfstandig** | independent(ly), on one's own initiative |
| **voorkomen** (sep.) | to occur, crop up |
| **secretarieel** | secretarial |
| **de werkzaamheid** | activity |
| **de kennis** | knowledge |
| **vereisen** | to require, demand |
| **de ervaring** | experience |
| **de tekstverwerking** | word processing |
| **het steno** | shorthand |
| **de voorwaarde** | condition |
| **de baan** | job |
| **de management-assistent(e)** | management assistant |
| **assisteren** | to assist |
| **de directeur** | manager, managing director |

| | |
|---|---|
| **waarbij** | whereby |
| **de beslissing** | decision |
| **de beheersing** | mastery |
| **het verantwoordelijkheidsgevoel** | sense of responsibility |
| **tonen** | to demonstrate, show |
| **de inzet** | commitment, effort |

### *Uitdrukkingen*

| | |
|---|---|
| **meerdere jaren** | several years |
| **gewend aan iets zijn** | to be used to something |

## Kommentaar op Leestekst 2

### 1 *secretaresse m/v*

This advertisement seeks to be even-handed by making the vacancy open to people of either sex (m/v = male or female).

### 2 *voorkomende*

Another example of the present participle of a verb being used as an adjective (see also Les 3, Kommentaar op Leestekst 2, §4).

### 3 *tekstverwerking*

Compare also **de tekstverwerker**/word processor.

### 4 *zelfstandig beslissingen te nemen*

Note that although **zelfstandig** occurs before a plural noun it is not inflected. This is because **zelfstandig** is an adverb here, not an adjective, i.e. it tells us something about how decisions are taken, not what kind of decisions they are.

### 5 *Bent u creatief, hebt u een groot verantwoordelijkheidsgevoel . . .*

This is an alternative way of forming conditional clauses which is sometimes used. The meaning is the same as **Als u creatief bent, als u een groot verantwoordelijkheidsgevoel hebt . . .** Conditional clauses will be dealt with again in more detail in in Les 8.

## GRAMMATICA

### 1 Word-building

a) Forming nouns from verbs
We saw in Les 2 how to form verbal nouns by simply placing **het** in front of the infinitive (**het kweken**, etc.). There is also another way of forming a noun from a verb, by adding the suffix **-ing** to the stem of the verb. The new nouns are always '**de** words'. There are two examples of this in Leestekst 2:

**de beslissing, de beheersing**
(from **beslissen, beheersen**)

This is a useful way of forming new words and can be used with many verbs:

**staken**/to strike; **de staking**/the strike
**bedoelen**/to mean, intend; **de bedoeling**/the meaning, intention

You will of course need to know how to form the stem of the verb. You can work this out from the infinitive by taking away the **-en** ending (see also *Dutch in Three Months* §17b), e.g.

**bedoelen → bedoel; herinneren → herinner**

Remember to preserve the vowel sound of the infinitive, adjusting the spelling as necessary:

**staken → staak; beslissen → beslis**

b) Combining nouns
Another way of forming new words is to combine two nouns to form a single, 'compound' noun. There is an example of this technique in Leestekst 2: **het verantwoordelijkheidsgevoel**. Here **de verantwoordelijkheid** (responsibility) is combined with **het gevoel** (feeling) to produce the compound noun **het verantwoordelijkheidsgevoel**. Remember that when words are combined in this way, the grammatical gender (**het** or **de**) is always that of the final word in the compound. In this case, although the first word (**verantwoordelijkheid**) is a **de**-word, the new compound noun, like its final element **gevoel**, is a **het**-word.

English also has some compound nouns (e.g. **moonlight**, **daytime**, **doghouse**). Some common compound nouns in Dutch are also compound nouns in English, e.g. **de badkamer**/bathroom, **de slaapkamer**/bedroom. However, Dutch has a greater capacity than English for combining words in this way to form a single new idea.

Some compound nouns have an **-s-** linking the two component words, as in **verantwoordelijkheidsgevoel** above. The main effect of this is to make pronunication easier. As you can see from the other examples above, some compound nouns have no linking sound. There are also some compound nouns which are linked by **-en-** e.g. **boekenkast**/bookcase, **herenhuis**.

Some compound nouns are formed by combining a noun with a different type of word. In Les 3, for example, we saw compounds such as **de woonkamer** (verb + noun: **woon-** is the stem of the verb **wonen**) and **de benedenwoning** (adverb + noun).

## 2 Writing a formal letter

If you wish to apply for a job (or leave one!) in the Netherlands or Belgium, you will need to be able to write a formal letter. An example of a very formal letter is the one written by Lorna te George which we saw in Leestekst 1 (which is described by the character reading it as '**de zakelijke correcte stijl van de advocaat**'). Although the novel from which this letter is taken was written over 50 years ago, many of the formulas used in it remain valid today.

There are a number of features which characterize a formal letter. Among the most important are the following:

- use of the formal pronoun **u** rather than **jij** or **je**;
- use of set formulas and stock phrases (e.g. **naar aanleiding van** 'further to');
- avoidance of **ik** as first word of letter.

*Examples of formal letters*

If, unlike Lorna te George, you want to apply for a job (**solliciteren**) rather than resign from one, you will need to write an application letter (**de sollicitatiebrief**). An applicant (**de sollicitant**) for the secretarial vacancy in Leestekst 2 might write a letter along the following lines:

Firma N.V.
Rooslaan 3
3531 ED Utrecht

Muizenstraat 41
3531 CH Utrecht

23 oktober 1993

Geachte Heer/Mevrouw,

In antwoord op uw advertentie in de krant van 22 oktober 1993 wil ik mij hierbij kandidaat stellen voor de aangeboden vacature van secretaresse.

Ik ben 24 jaar oud en heb 3 jaar ervaring als secretaresse bij een groot reclamebureau. Daarvoor heb ik een opleiding secretaresse van twee jaar gevolgd. Ik heb een goede beheersing van het Engels en het Frans. Ook heb ik ervaring met het gebruik van een tekstverwerker en met steno. Ik kan goed met collega's omgaan, ben altijd bereid initiatief te tonen en ben gewend om in een druk kantoor te werken.

Ik stuur u hierbij ook mijn curriculum vitae, en zal graag verdere informatie verstrekken indien u die nodig mocht hebben.

Ik zie uw antwoord met belangstelling tegemoet.

Bij voorbaat hartelijk dank,

Hoogachtend

Lenie de Vries

This letter might (with luck!) attract a reply similar to the following one:

Mevrouw L. de Vries
Muizenstraat 41
3531 CH Utrecht

Firma N.V.
Rooslaan 3
3531 ED Utrecht

27 oktober 1993

Geachte mevrouw De Vries,

**Betreft: vacature secretaresse**

Naar aanleiding van uw brief d.d. 23 oktober jl. heb ik het genoegen u het volgende mede te delen.

Wij zijn geïnteresseerd in uw sollicitatie en zouden graag het een en ander met u willen bespreken. U wordt uitgenodigd voor een interview, op 15 november a.s. om 10 uur.

Wilt u zo vriendelijk zijn telefonisch contact op te nemen met het secretariaat indien u op die datum niet aanwezig kunt zijn?

Met vriendelijke groeten,

A. de Vos
Personeelsdirecteur

## *Woordenschat*

| | |
|---|---|
| **hierbij** | hereby |
| **de kandidaat** | candidate, applicant |
| **daarvoor** | before that |
| **de opleiding** | training |
| **de collega** | colleague |
| **het initiatief** | initiative |
| **druk** | busy |
| **het kantoor** | office |
| **het curriculum vitae, c.v.** | curriculum vitae, CV |
| **verstrekken** | to furnish, to provide |
| **hiermee** | herewith (*i.e.* with this letter) |
| **voldoende** | sufficient |
| **Hoogachtend** | Yours faithfully |
| **betreft** | re.; concerns |
| **N.V.** | plc |
| **d.d. (= de dato)** | dated |
| **jl. (= jongstleden)** | last |

| | |
|---|---|
| **het genoegen** | pleasure |
| **het volgende** | the following |
| **mededelen** (sep.) | to inform, to pass on (information) |
| **a.s.** (= **aanstaande**) | next |
| **het secretariaat** | secretariat |
| **indien** | if (*formal*) |
| **de datum** | date |
| **aanwezig** | present |
| **de personeelsdirecteur** | personnel manager |

*Uitdrukkingen*

| | |
|---|---|
| **in antwoord op** | in response to |
| **zich kandidaat stellen voor** | to apply for, put oneself forward for |
| **opleiding secretaresse** | secretarial training |
| **goed omgaan met** | to get on well with |
| **ik zie uw antwoord met belangstelling tegemoet** | I look forward with interest to receiving your reply |
| **bij voorbaat hartelijk dank** | thanking you in anticipation |
| **naar aanleiding van** | further to |
| **het een en ander** | matters (*lit.*: 'one thing and another') |
| **telefonisch contact opnemen** | to telephone (*lit.*: 'make telephone contact') |
| **Met vriendelijke groeten** | Yours sincerely |

Note the use of phrases such as **in antwoord op, naar aanleiding van, bij voorbaat hartelijk dank, d.d.**, etc., which occur very commonly in formal letters in a wide range of contexts, not just those relating to job applications.

## *Oefeningen*

**36** *Write a letter to your boss telling him that you accept the consequences of what you did yesterday and that you are therefore tendering your resignation. Tell him/her that you enjoyed working for him/her and sign off in a friendly way. You will find a model answer at the back of the book.*

**37** *Write a letter in response to the second job vacancy advertised in Leestekst 2, applying for the job and stating your past experience. Again, a model answer is provided at the back of the book, though of course this is only an example and may differ from your letter.*

# Luistertekst

*If you have the set of tapes which accompany this book, try listening to the passage before reading it. Listen twice and see if you can reproduce the gist, then look at the written text to see how much you missed.*

*Woordenschat*

| | |
|---|---|
| **interviewen** | to interview |
| **besluiten** | to decide |
| **de werkervaring** | work experience |
| **het tekstverwerken** | word processing |
| **het organiseren** | organizing |
| **de vergadering** | meeting |
| **het bijhouden** | keeping up to date |
| **de dagagenda** | diary |
| **alledaags** | everyday |
| **het rapport** | report |
| **de baas** | boss |
| **verantwoordelijk** | responsible |
| **het archief** | filing |

*Uitdrukkingen*

| | |
|---|---|
| **het is de bedoeling** | it is my intention |
| **tot een beslissing komen** | to reach a decision |
| **iemand iets laten weten** | to let someone know something |
| **zich beperken tot** | be confined to |
| **correspondentie voeren** | to deal with correspondence |
| **nadenken over** | to think about |
| **de voor- en nadelen** | the pros and cons |

## Het sollicitatiegesprek

*Lies Braakman is interviewing for a Personal Assistant. There is one male applicant!*

*LB* Komt u binnen meneer de Koning. Gaat u zitten.
*WK* O! Eh . . . Dank u.
*LB* U bent de vierde en laatste die ik vandaag ga interviewen. Er waren natuurlijk veel meer sollicitanten, dus spreekt het vanzelf dat ik zeer geïnteresseerd ben in uw sollicitatie. Het

is de bedoeling om vandaag tot een beslissing te komen en u vanavond te laten weten wat ik heb besloten. Bent u vanavond thuis?

*WK* Tot een uur of acht, ja.

*LB* Wilt u misschien eerst iets vertellen over uw werkervaring en dan zal ik wat over deze baan zeggen.

*WK* Zoals u uit mijn sollicitatiebrief weet, werk ik al vier jaar als management-assistent. De secretariële aspecten beperken zich tot tekstverwerken, het organiseren van vergaderingen, het bijhouden van de dagagenda. Ik moet veel zelfstandig werken – eigen correspondentie voeren over alledaagse dingen en soms ook rapporten en zo voor mijn baas schrijven. Verder ben ik verantwoordelijk voor het archief. O ja, en ik moet ook in het Engels en soms in het Duits telefoneren.

*LB* U heeft op het ogenblik een mannelijke baas, meen ik? Hebt u wel nagedacht over de voor- en nadelen van een vrouwelijke?

*WK* Eh, uh, eigenlijk niet, nee.

*LB* Omdat u nooit aan de mogelijkheid van een vrouw als baas heeft gedacht?

*WK* . . . [*silence*]

## Using your spoken Dutch

The language in this interview is formal and impersonal which fits the situation. Notice, though, that the formality does eventually decrease, although not greatly. This suggests that the interviewer and interviewee are not getting on as well as they might. An example of impersonal language is the sentence which starts with **De secretariële aspecten**.

Becoming aware of different styles is the first step towards a more sophisticated competence in speaking, because it will enable you to choose language which is appropriate for the various types of situation you might find yourself in.

## *Oefeningen*

**38** *The text above covers only the first half of the interview. Finish off the dialogue for yourself. As this is an open exercise, there is no key at the back of the book.*

**39** *Make informal sentences from the formal sentences below. For example: Komt u binnen → Kom binnen*

1 Gaat u zitten.
2 Dank u.
3 U bent de laatste die ik vandaag ga interviewen.
4 Bent u vanavond thuis?
5 Wilt u misschien iets vertellen over uw werkervaring?

**40** a) *Give the infinitive from which the following nouns are derived.*

**tegemoetkoming, uitdrukking, herinnering, aansluiting, opleiding, tekstverwerking**

**40** b) *Make nouns ending in -ing from the verbs listed below. Look them up in your dictionary to check that you know what they mean.*

**mededelen, inrichten, aanbieden, voorstellen, ontdekken, verwijzen, reserveren**

**41 Spreekoefening**

*You have been invited for interview for the job as* **management-assistent** *which was advertised in Leestekst 2. Look through your part and plan what you want to say. Try to give appropriate responses to the questions.*

*Interviewer* **Goedemorgen. Gaat u zitten.**
*You* Thank the interviewer.
*Interviewer* **Wij zijn geïnteresseerd in uw sollicitatie, maar u zult begrijpen dat er nog veel meer sollicitanten zijn.**
*You* Say that of course you understand that.
*Interviewer* **Kunt u mij misschien iets vertellen over uw werkervaring?**

→

| | |
|---|---|
| *You* | Say something about your relevant past work experience. You might take vocabulary from Leestekst 2 or from any of the other texts in this lesson, or add something of your own. |
| *Interviewer* | **Spreekt u andere talen naast het Engels en het Nederlands?** |
| *You* | Say yes, and mention the other language(s) you can speak. If you can't speak any other languages, say so. |
| *Interviewer* | **En denkt u dat u op eigen initiatief zou kunnen werken?** |
| *You* | Say that you are used to working on your own initiative, that you feel you are creative and that you are of course prepared to put in lots of effort. |
| ........ | |
| *Interviewer* | **Goed, ik denk dat wij nu genoeg informatie hebben om tot een beslissing te komen. Hebt u misschien zelf nog vragen?** |
| *You* | Ask about the salary. |
| *Interviewer* | **U krijgt Fl. 2500 per maand. Vindt u dat acceptabel?** |
| *You* | Say yes, that's actually quite good. (**meevallen.**) |
| *Interviewer* | **Goed. Dan denk ik dat wij klaar zijn. Wilt u misschien even wachten in de kamer hiernaast. Wij zullen u over enkele minuten onze beslissing kunnen mededelen.** |
| *You* | Thank the interviewer and take your leave. |

# Les Vijf **Kopen en Verkopen**

## Leestekst 1

*This text is about how manufacturers of products manipulate the consumer through presentation and packaging. It is taken from a magazine for secondary school children in the Netherlands.*

### Wil jij ook vrolijk zijn en bewonderd worden, koop dan . . . .

Je bent gewend om altijd Douwe Egberts-koffie te drinken. Die vind je het lekkerst. In de supermarkt weet je precies waar de pakken staan, je pakt ze blindelings. Dan nodigt iemand je uit om eens mee te gaan naar een winkeltje waar ze vers gebrande koffie verkopen. Daar staan geen pakken Douwe Egberts, maar bakken koffiebonen met namen erbij die je niet kent. Dan weet je plotseling niet welke koffie je lekker vindt. Herkenbaarheid is dus een goede reden om voor een merkartikel te kiezen. Producenten weten dit en spelen hierop in door hun verpakking zo opvallend en dus herkenbaar mogelijk te maken.

De verpakking van een produkt kan ook een manipulatiemiddel zijn. Als iemand een computer wil kopen, dan kijkt hij natuurlijk naar wat de mogelijkheden van de computer zijn. Heeft hij een harddisk? Heeft hij één of twee diskdrives? Men kijkt niet naar de verpakking. Maar bij het doen van de alledaagse boodschappen speelt de verpakking een heel andere rol. Een pot jam staat tussen verschillende potten jam van een ander merk of een andere smaak. De bedoeling van de producent is dan dat degene die boodschappen doet, precies zijn pot jam kiest. Maar hoe doe je dat? Je kunt bijvoorbeeld het etiket een opvallende kleur of vorm geven. Je moet opvallen.

Wat kan de konsument doen tegen deze vormen van manipulatie? Het belangrijkste is kritisch blijven en zorgen dat je de baas blijft over je koopgedrag. Je bent verloren als je alles koopt waarvan de producent zegt dat het goed voor je is.

## *Woordenschat*

| | |
|---|---|
| **de supermarkt** | supermarket |
| **het pak** | packet |
| **pakken** | to grab |
| **blindelings** | blindly, without looking |
| **vers** | fresh(ly) |
| **gebrand** | roasted |
| **de bak** | container |
| **de koffieboon** | coffee bean |
| **de herkenbaarheid** | recognizability |
| **het merkartikel** | brand product |
| **kiezen** | choose |
| **de producent** | manufacturer |
| **de verpakking** | packaging |
| **opvallend** | striking, noticeable |
| **herkenbaar** | recognizable |
| **het manipulatiemiddel** | means of manipulation |
| **de jam** | jam |
| **het merk** | brand |
| **de smaak** | flavour |
| **het etiket** | label |
| **de kleur** | colour |
| **de vorm** | shape |
| **opvallen** (sep.) | stand out, be noticeable |
| **de konsument** | consumer |
| **kritisch** | critical |
| **zorgen** | take care |
| **het koopgedrag** | buying habits |
| **verloren** | lost |

## *Uitdrukkingen*

| | |
|---|---|
| **bewonderd worden** | to be admired |
| **gewend zijn om iets te doen** | to be in the habit of doing something |
| **kiezen voor** | to opt for |
| **erop inspelen** | to play on it/make the most of it |
| **boodschappen doen** | to go (food) shopping/do the shopping |
| **een rol spelen** | to have a role to play |
| **degene die** | the one who |
| **de baas blijven over** | to remain in control of |

## Kommentaar op Leestekst 1

### 1 *door* + *te* + infinitive

This construction is the equivalent of English 'by + VERB-ing':

**door hun verpakking opvallend te maken**
by making their packaging noticeable

Note the position of the verb at the end of the phrase in Dutch. This is another kind of sandwich construction.

### 2 *zo* + adjective + *mogelijk*

The English equivalent is 'as + adjective + as possible':

**zo opvallend mogelijk**
as noticeable as possible

### 3 Clauses starting with question-words

In Leestekst 1 there are four examples:

- **. . . waar de pakken staan**
- **. . . waar ze vers gebrande koffie verkopen**
- **. . . welke koffie je lekker vindt**
- **. . . wat de mogelijkheden van de computer zijn**

If these question-words do not introduce a direct question such as **'Waar staan de pakken?'**, then the clause is an indirect question. It is a subclause and so the verb is placed in final position.

## 4 Invisible 'of'

When giving a weight or measure of something in Dutch, you simply give the measure followed by the substance:

**een kilo appels**/a kilo of apples

In other words, you do not need to translate English 'of'. This construction is used widely to include containers of things, such as:

**een pot jam**/a pot of jam
**bakken koffiebonen**/containers of coffee beans

De giromaatpas gratis voor elke girorekeninghouder.

Alle thuisbankiers van de Postbank ontvangen bij hun girorekening een gratis giromaatpas.
Bij de giromaatpas hoort een geheime persoonlijke code, de zogenaamde PIN-code. Alleen u kent de PIN-code. Zelfs de Postbank kent uw PIN-code niet! Bij uw giromaatpas ontvangt u een 'MemoCard', een handig hulpmiddel om uw PIN-code versluierd op te slaan.

Electronisch geldverkeer.

Elke thuisbankier kan met de giromaatpas gratis profiteren van alle gemakken van het electronisch geldverkeer.
De pas vormt als het ware de sleutel tot allerlei geldgemakken van de Postbank.

## *Oefeningen bij Leestekst 1*

**42** *Rearrange the following sentences to form a summary of the text.*

1 We hebben te maken met manipulatie van de koper zodat hij een bepaald merk van een produkt koopt terwijl het produkt (in dit geval jam) hetzelfde is.
2 Volgens het artikel is de verpakking van een product erg belangrijk.
3 De konsument moet dus kritisch blijven anders is hij verloren.
4 Om dit uit te leggen, noemt de schrijver een bekend merk koffie en zegt dat de koper moeite zou hebben om tussen verschillende soorten koffiebonen te kiezen en dat het makkelijker is een bekend merk te nemen.
5 De reden hiervoor is dus de herkenbaarheid van een merkartikel.
6 Het betekent dat de koper niet na hoeft te denken in de supermarkt.

**43** *Fill in the gaps in the following text. The missing words can all be found in Leestekst 1.*

Merken _____ een belangrijke rol in de communicatie tussen producent en _____. Merken maken een _____ herkenbaar. De _____ zorgt voor _____ door middel van een naam, een kleurencombinatie, enz. Een merk maakt het voor de konsument makkelijker om te _____ uit wat er allemaal in de _____ te kopen valt.

# Leestekst 2

*This text, like Leestekst 1, is taken from a magazine for Dutch teenagers. It describes some of the advantages – and frustrations! – of using 'plastic money'.*

## Met plastic geld koop je automatisch

Ze stonden in het centrum van de stad. De banken waren al dicht, het postkantoor ook. Ze hadden geen cent meer op zak en honger als een paard. Maar gelukkig hadden ze een creditcard en hadden ze ook hier een geldautomaat ontdekt. Optimistisch stopten ze de card in de machine. Nu even de PIN-code intikken. 'Uw pasje is niet geschikt voor deze automaat', kwam het antwoord. De volgende dan. 'De computer kan op dit moment geen verbinding krijgen met uw bank.' Ach ja. Geld halen uit de muur gaat soms toch niet zo makkelijk. Bij de derde automaat lukte het echter wel; gelukkig, nu konden ze eten.

Maar je bankpasje dient niet alleen om geld uit de muur te trekken. Ook het 'elektronisch betalen' is in Nederland in opmars. Bij sommige supermarkten bijvoorbeeld hoef je niet meer met geld te betalen. Gewoon je pasje gebruiken. En bij veel benzinestations gaat dat ook. Geld vergeten en een lege tank is dus tegenwoordig een minder fatale combinatie, tenminste als je je bankpasje bij je hebt.

*Woordenschat*

| | |
|---|---|
| **automatisch** | automatic |
| **dicht** | closed |
| **de zak** | pocket |
| **gelukkig** | fortunate |
| **de geldautomaat** | automatic cash dispenser |
| **optimistisch** | optimistic |
| **stoppen** | to put |
| **de PIN-code** | PIN number |
| **intikken (= intypen)** | to type in, to enter |
| **het (bank)pasje** | banker's card, cash card |
| **geschikt** | suitable |
| **de automaat** | automatic dispenser |
| **de verbinding** | connection, link |
| **halen** | to get, take, fetch |
| **lukken** | to succeed |
| **dienen** | to serve |

| | |
|---|---|
| **trekken** | to pull, draw |
| **elektronisch** | electronic |
| **sommige** | some |
| **gewoon** | just, simply |
| **het benzinestation** | petrol station |
| **leeg** | empty |
| **de tank** | tank |
| **tegenwoordig** | nowadays |
| **fataal** | fatal |
| **de combinatie** | combination |
| **tenminste** | at least |

*Uitdrukkingen*

| | |
|---|---|
| **Ach ja** | Oh, well |
| **Geld halen uit de muur** | Getting money out of (the hole in) the wall |
| **in opmars zijn** | to be on the increase |
| **op zak hebben** | to have in one's pocket |

## Kommentaar op Leestekst 2

### 1 *het postkantoor ook*

Where there are two clauses in a single sentence which both have the same basic pattern, any elements which would be repeated in the second clause can be left out in Dutch. The second sentence of Leestekst 2 contains an example of this:

**De banken waren al dicht, het postkantoor (was) ook (dicht).**
The banks were already closed, the post office too.

Here, the verb and adjective have been omitted. The same construction is also used in the next sentence; this time, subject and verb are omitted:

**Ze hadden geen cent meer op zak en [ze hadden] honger als een paard.**

### 2 *Optimistisch stopten ze de card in de machine*

**Stoppen** is a useful word which can be used to describe any action of putting something into something else. For example:

**Ze stopt het geld in haar tas.**
She puts the money in her bag.

### 3 *Nu even de PIN-code intikken*

See Les 2, Grammatica (infinitive without **te**) for this use of the infinitive to form an informal instruction or command.

### 4 *De volgende dan*

Again, this 'sentence' is typical of a colloquial style. You will note that it contains no verb. (See Les 2, Leestekst 1.) The implied meaning is: **'De volgende machine proberen dan'**, i.e. another case of an informal command.

### 5 *Bij de derde automaat lukte het echter wel*

Note this use of **wel**, which is very common in Dutch. It is used to provide emphasis, but also to stress contrast (usually with **niet**). The verb can often be omitted in such cases (which is **not** the case in English). For example:

- **'Ik heb geen zin in koffie.'** **'Ik wel.'**
  'I don't fancy a coffee.' 'I do.'
- **Hij houdt niet van katten, maar zij wel.**
  He doesn't like cats, but she does.

### 6 *niet* can be used in the same way:

- **'Ik vind rode kool lekker.'** **'Ik niet.'**
  'I like red cabbage.' 'I don't.'
- **Hij houdt van katten, maar zij niet.**
  He likes cats, but she doesn't.

### 7 *. . . hoef je niet meer met geld te betalen*

**hoeven** is always combined with **niet** and carries the meaning 'not have to'. Its meaning is then more or less the opposite of **moeten**.

Compare **Je moet het doen.** You must do it.
and **Je hoeft het niet te doen.** You don't have to do it.
Compare **Je moet hem geld geven.** You have to him give money.
and **Je hoeft hem geen geld te geven.** You don't have to give him any money.

### 8 *Bij veel benzinestations gaat dat ook*

**Gaan** is used here to express possibility. Note particularly the inversion of subject and verb (**gaat dat** rather than **dat gaat**). Do you remember why this inversion takes place? See Les 1, Grammatica.

## *Oefeningen bij Leestekst 2*

**44** *Say whether the following statements about Leestekst 2 are true or false.*

1 De banken waren niet meer open, maar het postkantoor wel.
2 Het lukte de eerste keer om geld uit de muur te halen met de creditcard.
3 Nadat ze de card in het geldautomaat gestopt hadden, tikten ze de PIN-code in.
4 Geld halen uit zo'n automaat met een creditcard is altijd makkelijk.
5 Een bankpasje kun je alleen gebruiken om geld uit de muur te halen.
6 In sommige supermarkten kun je niet meer met gewoon geld betalen.
7 Als je benzine wilt kopen, moet je je bankpasje bij je hebben.

**45** *Give the singular form of the following verbs in the simple past tense. Then give the present tense (**ik** form) of the verb and the infinitive. The first verb has been done for you.*

| past tense plural | past tense singular | pres. tense sing. (**ik**) | infinitive |
|---|---|---|---|
| **ze waren** | **hij was** | **ik ben** | **zijn** |
| **ze stonden** | _____ | _____ | _____ |
| **ze hadden** | _____ | _____ | _____ |
| **ze kwamen** | _____ | _____ | _____ |

# GRAMMATICA

## 1 Superlative adjectives and adverbs

To form the **superlative adjective**, add **-ste** to the adjective:
**de lekkerste koffie**/the most delicious coffee
**het belangrijkste moment**/the most important moment
**Welke koffie koop jij?** **De goedkoopste.**
Which coffee do you buy? The cheapest.

The last example shows that, like adjectives generally, superlative adjectives can be used without the noun they are describing being repeated:
**Welk koekje neem jij?** **Het grootste.**
Which biscuit are you going to take? The biggest.

Also, like adjectives generally, superlatives can be used as nouns. For example:
**het belangrijkste**/the most important thing
**het leukste**/the nicest thing

When used like this, they are always **het**-words.

The **superlative adverb** is also preceded by **het**. You can tell the difference between a superlative adjective used as a noun and a superlative adverb by the function they have in the sentence. The superlative adjective functioning as a noun is either the subject of the sentence as in the first example below, or adds something to what we know of the subject, as in the second example. The adverb adds something to what the verb is telling us.

NOUN **Het belangrijkste is kritisch blijven . . .**
The most important thing is to remain critical . . .
NOUN **Dat vind ik het belangrijkste.**
I think that is the most important thing.
ADVERB **Ik drink het liefst wijn bij mijn eten.**
I like to drink wine best with my food.

To form the **superlative adverb**, add either **-st** or **-ste** to the adverb. The superlative adverb is always preceded by **het**.
The **-st** ending is more common and if you always use it, you will simplify matters for yourself.

NOTE: Here are four frequent adjectives/adverbs with irregular superlatives:

| | |
|---|---|
| **goed** | **(het) best** |
| **graag** | **(het) liefst** |
| **weinig** | **(het) minst** |
| **veel** | **(het) meest** |

## 2 The preposition *bij*

Although **bij** is just one preposition among many, it is used frequently and in a variety of ways. Also, like any preposition, it has no single direct equivalent in English. But the meaning of **bij** is perhaps the hardest to pin down. For you to be able to use **bij** correctly you need to become aware of its different uses. Only those uses which have occurred so far are discussed in this lesson.

i) **bij** = at
This is a straightforward preposition used with a noun. For example:
**bij sommige supermarkten**/at some supermarkets
**bij veel benzinestations**/at many petrol stations

ii) **bij** + infinitive as noun. (See Les 2)
Here, **bij** means something like 'during', 'in the course of':
**Ze zei het bij het weggaan**
She said it as she was leaving
**De verpakking speelt een heel andere rol bij het doen van de alledaagse boodschappen**
The packaging plays a completely different role when doing the everyday shopping

iii) **bij** + personal pronoun
Here **bij** is equivalent to English 'on one', 'about one's person':
**Heb je een pen bij je?**
Have you got a pen on you?
**. . . als je je bankpasje bij je hebt**
. . . if you have your cheque card with/on you

iv) **bij** + personal pronoun/noun (+ **thuis**)
Here **bij** means something like 'at the house of':
**Bij mijn ouders thuis eten we altijd om zeven uur.**
At my parents' house we always eat at seven o'clock.
**Bij ons vroeger deden mijn ouders er niet aan, aan kroket.**
At our house in the past, my parents didn't go in for croquettes.
(See Les 2)

### *Oefeningen*

**46** *Here is another passage from the same text as Leestekst 1 with gaps for you to fill in. This time you are not given any help with the missing words except the information that they are function words and that you are being tested on your grammatical knowledge rather than your vocabulary.*

The following words are new: **zich wapenen** (arm oneself); **de reclame** (advertising); **zich afvragen** (ask oneself); **aan de eisen voldoen** (meet the requirements)

Op mijn vraag '_____ kan de consument doen om zich _____ wapenen tegen reclame?', lacht Jan Luc de Ridder. 'Je hoeft je niet te wapenen _____ reclame', zegt _____. Als je maar niet gelooft _____ het waar is wat _____ reclame je zegt. Je moet je altijd afvragen of je _____ produkt wel nodig _____ , of het _____ de concurrent goedkoper is, en _____ het voldoet aan de eisen die je eraan stelt.

# Luistertekst

*Woordenschat*

| | |
|---|---|
| **de klantenservice** | customer service desk |
| **de klacht** | complaint |
| **krimpen** | to shrink |
| **passen** | to fit |
| **werkelijk** | really |
| **groeien** | to grow |
| **het bonnetje** | receipt |
| **contant** | in cash |
| **de cheque** | cheque |
| **de maatschappij** | company |
| **het bedrag** | amount, sum |
| **de nota** | account, invoice, bill |
| **ruilen** | to exchange |
| **uitkiezen** (sep.) | to select, choose |
| **dezelfde** | the same |
| **de prijs** | price |
| **de verontschuldigingen** | apologies |

*Uitdrukkingen*

| | |
|---|---|
| **Ik hoop het wel** | I hope so |
| **van een goede kwaliteit** | (of) good quality |
| **het betaalde bedrag** | the amount paid |
| **komen te staan** | to appear (*lit.*: 'come to stand') |

## Bij de klantenservice

*Jennie Moer recently bought a pair of trousers for her son. After washing them, she notices that they have shrunk and takes them back to the store in order to ask for a refund.*

*JM* Pardon meneer. Kunt u mij helpen?

*Assistent* Ik hoop het wel. Wat kan ik voor u doen?

*JM* Ik heb een klacht. Vorige week heb ik deze broek bij u gekocht. Voor mijn zoon. Het was een dure broek en ik dacht natuurlijk dat hij van een goede kwaliteit was. Maar ik heb hem gewassen en wat denkt u dat er gebeurd is?

*Assistent* Ik weet het niet, mevrouw.

*JM* Hij is gekrompen. Hij past niet meer. Hij is te klein.

| | |
|---|---|
| | Daar ben ik niet erg blij mee, en ik wil graag mijn geld terug. |
| *Assistent* | Eh, weet u zeker dat de broek werkelijk gekrompen is, mevrouw? |
| *JM* | Hoe bedoelt u? |
| *Assistent* | Ik bedoel, is het niet mogelijk dat uw zoon al zoveel is gegroeid dat de broek niet meer past? |
| *JM* | In één week? Zo snel groeit hij nu ook weer. |
| *Assistent* | Nee, natuurlijk niet. Hebt u het bonnetje bij u? |
| *JM* | Ja, hier is het. Alstublieft. |
| *Assistent* | Dank u. Ik zie dat u met uw creditcard betaald heeft, niet contant of met een cheque. |
| *JM* | Ja. Is dat een probleem? |
| *Assistent* | Nee, maar de broek is natuurlijk al betaald door uw creditcardmaatschappij. Ik kan u nu uw geld teruggeven, maar het betaalde bedrag zal toch op uw creditcardnota komen te staan. Misschien wilt u de broek gewoon ruilen. Zou het niet makkelijker zijn een andere broek uit te kiezen van dezelfde prijs? |
| *JM* | Nee, hoor. Misschien krimpt die ook wel. Ik wil liever mijn geld terug. Dan hoef ik ook geen geld uit de muur te halen. |
| *Assistent* | Zoals u wilt, mevrouw. Alstublieft. En mijn verontschuldigingen. |
| *JM* | Dank u wel. Tot ziens. |

## Using your spoken Dutch

### 1 Returning goods/making a complaint

When taking something back to a shop it is best to indicate your position by using a straightforward statement:

**Ik heb een klacht.**
I have a complaint.

Then explain the facts, and express your displeasure:

**Daar ben ik niet erg blij mee.**
I'm not very happy about it.

**Dat vind ik echt niet goed.**
That's really not on/not good enough.

Finally, state clearly how you want to resolve the situation:

**Ik wil (graag/liever) mijn geld terug.**
I want (would like) my money back.

Other possibilities are:

**Ik wil een nieuwe/nieuw graag.**
I'd like a new one.

Note that **nieuwe** is used for referring back to **de**-nouns and **nieuw** for **het**-nouns.

**Ik wil hem/het graag ruilen.**
I'd like to exchange it.

Note that **hem** refers back to a **de**-noun and **het** to a **het**-noun.

## 2 Asking for clarification

This is a useful function which you will need in many situations. The listening passage contains several examples:

**Wat kan ik voor u doen?**/What can I do for you?
**Weet u zeker dat . . .?**/Are you sure that . . .?
**Hoe bedoelt u?**/How/what do you mean?
**Is het niet mogelijk dat . . .?**/isn't possible that . . .?

Another useful question is:

**Wat is er gebeurd?**/What has happened?

## *Oefeningen*

### 47 Spreekoefening

*Situation: Yesterday you bought a jumper for your mother in a large department store (**het warenhuis**) in another town. You paid with your credit card. The jumper is too small, but you are unable to take it back. Ring up the shop and explain the problem.*

*Below you will find the text of the conversation on tape with prompts in English for you.*

*Voice* **Smit & Meijer. Goedemorgen.**
*You* Say good morning and ask for the ladies' clothes department.
*Voice* **Afdeling dameskleding. Goedemorgen.**
*You* Explain the problem – bought jumper – too small – want money back – live in a different town.
*Voice* **Wilt u de trui niet ruilen?**
*You* Explain that it's too far for you and say you want your money back.
*Voice* **Als het echt niet anders kan moet u de trui per post terugzenden. Als alles in orde is dan krijgt u uw geld terug.**
*You* Express thanks and say that's what you'll do.
*Voice* **Stuurt u het maar naar mij – mevrouw Blokker. Kent u ons adres?**
*You* Say yes and thank her.

**48** *Write a note to mevr. Blokker to accompany the jumper when you send it back, reminding her of what was agreed on the telephone. You will find a model answer at the back of the book.*

# Les Zes **Gezondheid**

## Leestekst 1

*This reading passage comes from a short novel called* **De vergaderzaal** *(The Meeting Room) by the Dutch writer, A. Alberts. It is about Meneer Dalem, a businessman, who has a breakdown. In this piece, haunted by memories, he has returned to his childhood home to find it is now a hospital.*

Wat is er aan de hand? vroeg de portier. Wat heeft u? De man zei niets. Hij keek ook nu nog niet naar de portier, maar hij bewoog zijn armen niet meer. Hij hield ze kaarsrecht langs zijn lichaam en de portier zag hoe de handen zich openden en sloten.

Toen draaide de man zich een kwartslag om en liep naar het water. De portier wilde naar voren springen, maar de man was alweer blijven staan. Hij streek met zijn rechterhand door zijn haar en de portier wist zeker dat hij dat deed om zich iets te herinneren. Hij vroeg: Wat komt u hier doen?

Nu keek de man hem aan. Hij zei niets. Hij wees op het water en knikte een paar maal. Hij stak een hand in de binnenzak van zijn jas, maar hij haalde er niets uit.

Ik zou hem eigenlijk naar binnen moeten brengen, dacht de portier. Hij zei: Ga maar mee, dan gaan we een kopje thee drinken. En hij wees op het gebouw.

De man zei: Huis.

Precies, zei de portier. Als u dan weer wat bent opgeknapt, gaat u naar huis. We brengen u wel naar huis.

Huis, zei de man, huis, huis, huis, huis, huis.

De portier pakte de man bij zijn linkerelleboog, terwijl hijzelf zijn linkerhand klaar hield om iets af te weren, een maaiende arm of zoiets. Er gebeurde niets. De man keek hem aan. Hij keek hem heel ernstig aan en hij zei: Voetje voor voetje.

Daar gaan we, zei de portier. Voetje voor voetje dan maar. Ze liepen met kleine stappen naar het ziekenhuis, maar toen ze op een meter of vijf van de ingang waren, bleef de man staan en zei: Poort.

Ja, zei de portier. Dit is de poort. Dit is de poort van het huis waar ik woon.

Geen poort, zei de man. Deur.

Ja hoor, zei de portier. Hier is de deur. En nu gaan we naar binnen.

De man keek de portier aan en knikte. Hij knikte nu heel bedaard en de portier kreeg het gevoel dat er iets heel vriendelijks tegen hem werd gedaan.

Ze gingen naar binnen en de portier zette de man in een stoel in de loge. Hij zei: Blijft u maar rustig zitten, dan ga ik even koffie halen.

Hij liep naar binnen, naar de kamer waar de hoofdzuster van de nacht moest zitten als ze er nog was. Ze was er nog en hij zei: Ik geloof dat ik hier een gek aan de poort heb.

*Woordenschat*

| | |
|---|---|
| **de portier** | porter |
| **bewegen** | to move |
| **kaarsrecht** | rigidly straight |
| **het lichaam** | body |
| **zich openen** | to open |
| **zich sluiten** | to close |
| **zich omdraaien** (sep.) | to turn round |
| **een kwartslag** | a quarter of a turn |
| **knikken** | to nod |
| **steken (stak)** | to put |
| **de binnenzak** | inside pocket |
| **de jas** | coat |
| **het gebouw** | building |
| **wat** | a bit, a little |
| **opknappen** (sep.) | to get/feel better |
| **pakken** | to take hold of |
| **de elleboog** | elbow |
| **afweren** (sep.) | to ward off |
| **maaien** | to flail |
| **ernstig** | serious(ly) |
| **het ziekenhuis** | hospital |
| **de ingang** | entrance |
| **poort** | gateway |
| **bedaard** | calm(ly) |

| | |
|---|---|
| **even** | just |
| **de loge** | porter's lodge |
| **de hoofdzuster** | sister, nurse in charge |
| **de gek** | mad person |

*Uitdrukkingen*

| | |
|---|---|
| **Wat is er aan de hand?** | What's the matter? What's wrong? |
| **Wat heeft u?** | What's the matter with you? What have you got wrong with you? |
| **met zijn hand door zijn haar strijken** | to run one's fingers through one's hair |
| **wijzen op** | to point to |
| **een paar maal** | a few times |
| **voetje voor voetje** | one step at a time |
| **een meter of vijf** | about five metres |

## Kommentaar op Leestekst 1

### 1 *ook nu nog niet*

This word-group, or adverbial phrase, consists of two phrases: **ook nu** (even now) and **nog niet** (not yet). The translations in brackets give an idea of the literal meaning. An English rendering might be:

**Hij keek ook nu nog niet naar de portier**
He was still refusing to look at the porter

In English, some of the meaning carried by the adverbials is located in the choice of the verb 'refuse' instead.

### 2 Reflexive verbs

These are verbs which are always used with a reflexive pronoun when the action denoted by the verb applies to the subject of that verb. (See *Dutch in Three Months* §26.) The reflexive pronoun refers to the subject, it is the subject which determines the choice of pronoun.

| subject | reflexive pronoun |
|---|---|
| **ik** | **me** |
| **jij** | **je** |
| **u** | **zich** |
| **hij/zij/het** | **zich** |
| **wij** | **ons** |

**jullie** **je**
**zij** **zich**

There are several examples of reflexive verbs in the passage:

**De portier zag hoe de handen zich openden en sloten**
The porter saw how the hands opened and closed

In English there is no need for a reflexive pronoun, so it is important when you are speaking or writing Dutch to look out for occasions where there appears to be no object of the verb in English. There is a way to check whether you need a reflexive pronoun in Dutch: try giving your English sentence an object, for example 'the hands opened and closed themselves'. 'Themselves' is the only possibility because the subject and object of the sentence are exactly the same. If subject and object are the same person or thing in Dutch, then you must insert a reflexive pronoun.

Note that the verbs in the example are **zich openen**/to open and **zich sluiten**/to close and that the verbs are placed at the end of the example because they are in a subclause. (See Les 5, Kommentaar bij Leestekst 1 §3.) Main clause word order would give us:

**de handen openden en sloten zich**
the hands opened and closed

Note also that there is no need to repeat the reflexive pronoun when you have more than one reflexive verb in a sentence:

**de handen openden [zich] en sloten zich**

## 3 *De portier wilde naar voren springen*

In Dutch, the past tense of the verb **willen** can be used as an equivalent of English 'was/were about to . . .' i.e. 'The porter was about to leap forwards . . .'

## 4 *De man was blijven staan*

The combination of verbs **blijven** + **staan** is equivalent to English 'stop' or 'stand still'.

**Blijven**, like **zien, horen, gaan**, for example, is used as an auxiliary verb together with another infinitive. (See *Dutch in Three Months* §48.) These types of auxiliary verbs do not form the perfect tense in the usual way, but replace the past participle with the infinitive form:

**hebben/zijn** + infinitive of auxiliary verb + infinitive

| **de man** | **was** | **blijven** | **staan** |
|---|---|---|---|
| the man | had | remained | standing |

A better translation would be: the man had stood still.

## 5 *hij haalde er niets uit*

This is an example of **er** used as a pronoun. (See Les 1, Kommentaar op Leestekst 1, §1a.) It refers back to the word **binnenzak** (inside pocket). Note also that it occurs in a sandwich construction here — **hij haalde er niets uit**/he didn't take anything out of it — rather than **hij haalde niets eruit**, which is also possible in Dutch.

## 6 *Ik zou hem naar binnen moeten brengen*

In Dutch the combination **zou/zouden** + **moeten** is equivalent to a single vocabulary item in English: 'ought'.

## 7 *Ga maar mee*

This is how you say 'Come with me' in Dutch. Although Dutch and English are closely related, they can sometimes be surprisingly contrary! Dutch **dat** is often translated by 'this' in English, and **dit** by 'that'; **gaan** by 'come' and **komen** by 'go'! The best way to learn is to listen and copy and to learn set phrases by heart. The other important point about **Ga mee!** (Come with me/come along!) is that Dutch does not use a personal pronoun, but simply the separable verb **meegaan**.

## 8 *We brengen u wel naar huis*

Notice that the little word **wel** is not translated in English: 'We'll take you home'. Its addition makes the sentence sound more friendly and reassuring. These words are called particles, and they are dealt with in more detail in Les 10, Using your spoken Dutch.

## 9 *waar de hoofdzuster van de nacht moest zitten*

This is an example of an indirect question. See Les 5, Kommentaar op Leestekst 1, §3.

## *Oefeningen bij Leestekst 1*

**49** *Pick out all the sentences containing reflexive verbs from the text and translate these sentences into English.*

**50** *First, match up the two halves of the five sentences below. Then rearrange them so that they are in the correct sequence. The sentences contain two new reflexive verbs: zich voelen (to feel) and zich gedragen (to behave).*

1 De portier weet dat er iets met de man aan de hand is//
2 De portier denkt//
3 De man wordt kalmer//
4 Volgens de portier zal men de man naar huis brengen//
5 De portier weet dat de man iets vergeten is//

a //als hij zich beter voelt.
b //omdat de man zich vreemd gedraagt.
c //dat de man gek is.
d //omdat de man met zijn hand door zijn haar strijkt.
e //als de portier hem naar binnen brengt.

**Je hebt ècht de ideale leeftijd . . .**

als je spijsvertering je eindelijk geleerd heeft hoe ver je kunt gaan met exotische gerechten.

# Leestekst 2

*The following text, which is taken from a Flemish health magazine, lists some of the uses, but also the main side-effects, of some commonly used medicines.*

Elk medicijn heeft zijn nut, maar helaas ook zijn nevenwerkingen. Enkele voorbeelden maar, want helaas is de lijst zeer lang! Het betreft zowel medicijnen die u bij de apotheker kunt kopen, als medicijnen die door uw arts voorgeschreven kunnen worden.

* Pijnstillers: helpen met pijn, maar geven meestal zuur, en doen de eetlust afnemen.
* Slaappillen: kunnen nuttig zijn bij slapeloosheid, maar werken de verstopping in de hand.
* Antibiotica: nuttig voor allerlei klachten. Opname van essentiële voedingsmiddelen wordt verminderd met als gevolg diarree, en dus ook verwijdering van vitamines en mineralen uit het lichaam.
* Laxeermiddelen: kunnen helpen bij verstopping. Niet alleen de normale afvalstoffen echter, maar ook mineralen, vitamines, vetten en eiwitten worden uitgestoten.
* Plaspillen: verwijderen ook mineralen en vitamines.
* Cortisone: helpt bij allerlei aandoeningen van de huid. Bij langdurig (verkeerd) gebruik wordt calcium uit het lichaam verwijderd, is er een zout- en waterweerhouding in het lichaam (dus gewichtstoename!), neemt ook het maagzuur toe. (zweren) en wordt suikerziekte in de hand gewerkt . . .
* Pillen tegen o.a. maag- en darmklachten: droge mond = eetlustafname, afname gezichtsscherpte, prostaatklachten.

*Woordenschat*

| | |
|---|---|
| **het medicijn** | medicine |
| **het nut** | use(fulness) |
| **helaas** | unfortunately |
| **de nevenwerking** | side-effect |
| **de apotheker** | pharmacist |
| **de arts** | doctor |
| **voorschrijven** (sep.) | to prescribe |

| | |
|---|---|
| **de pijnstiller** | painkiller |
| **het zuur** | acid |
| **de eetlust** | appetite |
| **afnemen** (sep.) | decrease, decline |
| **de slaappil** | sleeping-pill |
| **nuttig** | useful |
| **de slapeloosheid** | sleeplessness, insomnia |
| **het antibioticum** | antibiotic |
| **de klacht** | complaint, symptom |
| **de opname** | absorption, uptake |
| **het voedingsmiddel** | nutrient |
| **verminderen** | to reduce |
| **het gevolg** | consequence, result |
| **de diarree** | diarrhoea |
| **de verwijdering** | removal |
| **de vitamine** | vitamin |
| **het mineraal** | mineral |
| **het laxeermiddel** | laxative |
| **de verstopping** | constipation |
| **de afvalstof** | waste material |
| **het vet** | fat |
| **het eiwit** | protein |
| **uitstoten** | to expel |
| **de plaspil** | diuretic (pill) |
| **plassen** | to do/have a pee |
| **de aandoening** | disorder |
| **langdurig** | lengthy, protracted |
| **de zoutweerhouding** (Belg.) | salt retention |
| **de waterweerhouding** (Belg.) | water retention |
| **het gewicht** | weight |
| **de toename** | increase |
| **toenemen** (sep.) | to increase |
| **het maagzuur** | (gastric) acid |
| **de zweer** | ulcer |
| **de suikerziekte** | diabetes |
| **de darm** | intestine |
| **de afname** | decrease |
| **het gezichtsscherpte** | sharpness of vision |
| **de prostaat** | prostate gland |

## *Uitdrukkingen*

| | |
|---|---|
| **bij slapeloosheid** | in the case of insomnia |
| **enkele voorbeelden maar** | just a few examples |
| **het betreft** | these are (*lit.*: 'it relates to . . .') |

| | |
|---|---|
| **iets in de hand werken** | to encourage, promote something |
| **iets doen afnemen** | cause something to decrease |
| **o.a. = onder andere** | among other things |

# GEZONDHEIDSGIDS

*Eerste hulp bij verslikken: de juiste werkwijze bij a) een baby; b) een groter kind.*

## VERSLIKKEN

**Bij baby's en kinderen kan voedsel in het verkeerde keelgat schieten. Een brok komt in de luchtpijp terecht en kan zo het ademen beletten. Snel en juist handelen is dan van groot belang.**

**NIEUW!** Houd de baby over uw arm met het hoofd naar beneden. Ondersteun de kin met de vingers. Sla dan kort en krachtig tussen de schouderbladen. Grotere kinderen leg je met de rug op de grond. Plaats de palm van de hand tussen navel en ribben en leg de andere hand erop. Duw krachtig, zodat het voedsel weer in de keel schiet.

## Kommentaar op Leestekst 2

### 1 *Enkele voorbeelden maar*

Note the absence of a verb here. This is typical of an economic style used for conveying a lot of information.

### 2 *de opname*

This noun also has the meaning of '(hospital) admission', and is often combined with **het ziekenhuis** (hospital) to produce **de ziekenhuisopname**. (Note the change from a **het**-word to a **de**-word; see Les 4, Grammatica §1b). Similarly, the related verb, **opnemen**, means 'to admit' as well as 'to absorb'.

### 3 *de suikerziekte*

Another word with the same meaning is **de diabetes**.

### 4 *maag- en darmklachten* (stomach and intestinal disorders)

The hyphen here is used in Dutch very frequently when two compound words, both of which have the same final element, occur in a list, as here. There is another example in Leestekst 2, **zout- en waterweerhouding**. Another example, which you have already come across in Les 4 (Luistertekst), is **voor- en nadelen**, 'advantages and disadvantages', 'pros and cons'.

## *Oefeningen bij Leestekst 2*

**51** *Read through Leestekst 2 again and either underline or make a list of all the compound nouns you can find. There are 18 different ones in the passage altogether! Check your list against the list at the back of the book.*

**52** *Complete the following sentences using a word from Leestekst 2. Use a different word each time.*

1 Als je ergens pijn hebt, kun je het beste een _____ nemen.
2 Sommige medicijnen kun je _____ de apotheker kopen. Andere moeten echter door de dokter worden _____ .
3 _____ is een andere benaming voor diabetes.
4 Heb je honger? Nee, mijn _____ is de laatste tijd wat afgenomen.
5 _____ kunnen het nadelig effect hebben dat er o.a. proteïnes uit het lichaam worden verwijderd.
6 Het gebruik van antibiotica kan in sommige gevallen tot diarree leiden omdat de opname van _____ _____ verminderd wordt.

**53** *Say whether the following statements about Leestekst 2 are true or false.*

1 Als je pillen tegen bijvoorbeeld hoofdpijn neemt, heb je meer honger dan normaal.
2 Slaapmiddelen kunnen de kans op constipatie doen toenemen.
3 Het gebruik van antibiotica werkt de opname van essentiële voedingsmiddelen in de hand.
4 Laxeermiddelen helpen bij het opnemen van mineralen, vitaminen, enz.
5 Plaspillen hebben geen nevenwerkingen.
6 Medicijnen tegen maagproblemen kunnen soms een nadelig effect hebben op je ogen.

# GRAMMATICA

## The Passive

The passive was dealt with in *Dutch in Three Months* (§66), but it is worth looking at some of the main points again.

### 1 Sentence construction

Every passive sentence in Dutch has an active counterpart. For example:

ACTIVE **Het kind maakt het model.** The child makes the model.
PASSIVE **Het model wordt door het kind gemaakt.** The model is made by the child.

- Note that the subject of the active sentence, **het kind**, now fulfils a different role; note also that English 'by' is (always) translated by **door**. When the subject of the active sentence is a pronoun, the subject form of the pronoun is used. In the corresponding passive sentence, it is replaced by the object pronoun.

ACTIVE **Hij wast de auto.**
He washes the car.
PASSIVE **De auto wordt door *hem* gewassen.**
The car is washed by *him*.

- If *both* subject and object in the active sentence are pronouns rather than nouns, the subject pronoun changes to the object form in the passive and the object pronoun changes to the subject form:

ACTIVE ***Wij* nodigen *jou* uit op een feestje.**
*We* invite *you* to a party.
PASSIVE ***Jij* wordt door *ons* op een feestje uitgenodigd.**
*You* are invited by *us* to a party.

### 2 Tenses of the passive

*Present* **Ik word uitgenodigd**
I am invited, I am being invited

*Perfect* **Ik ben uitgenodigd**
I have been invited

| | |
|---|---|
| *Simple past* | **Ik werd uitgenodigd**<br>I was invited |
| *Past perfect* | **Ik was uitgenodigd**<br>I had been invited |
| *Future* | **Ik zal uitgenodigd worden/worden uitgenodigd**<br>I will be invited |
| *Future perfect* | **Ik zal uitgenodigd zijn**<br>I will have been invited |

IMPORTANT Beware of confusing the perfect tense with the present tense when using the passive. As the perfect tense is formed using **zijn** as auxiliary verb, this is an easy trap to fall into for English-speakers. For example:

**De auto** *is* **gewassen** = The car *has been* washed (not 'is being washed').

### 3 Impersonal passive

This is a very common construction in Dutch, which often cannot be translated literally:

**Er wordt veel gedaan.** A lot is being done.
**Er wordt gebeld.** There is a ring at the door; The bell rings. (*lit.*: There is rung)
**Er werd gewerkt aan een nieuw project.** They were working on a new project.

As you can see from the third example, it is often necessary to provide a subject of the verb when translating into English.

Leestekst 1 contains an example of an impersonal passive construction used in a subclause:

**De portier kreeg het gevoel dat *er iets heel vriendelijks tegen hem werd gedaan*.**
The porter sensed that something very kind was being done to him.

### 4 Word order: passive verbs in subclauses

Note in the above sentence how **er** immediately follows the subordinating conjunction (**dat**), while the verb group (**werd gedaan**), as you would expect in a subclause, goes to the end.

### 5 Word order: inversion of subject and passive auxiliary verb

Leestekst 2 contains an example of this:

> **Bij langdurig gebruik wordt calcium uit het lichaam verwijderd.**
> In the event of protracted use, calcium is removed from the body.

As you can see, the normal rules of word order apply in passive constructions: the sentence above starts with an item other than the subject of the verb (in this case an adverbial phrase), and the verb **wordt** and subject **calcium** are therefore inverted to keep the verb in second position.

### 6 Passive verbs used with modal auxiliaries

When used with modal verbs, **worden** becomes a dependent infinitive just like any other and goes to the end of the sentence, where the past participle of the passive verb is already found. It does not matter whether you put the passive auxiliary (**worden**) before or after the past participle:

> **De appels kunnen door de jongens worden geplukt (geplukt worden).** The apples can be picked by the boys.

In a subclause, the modal auxiliary is also placed at the end of the sentence, NOTE the order of the three verb elements: *either* modal + **worden** + past participle *or* past participle + modal + **worden**:

> **Dit zijn de appels die door de jongens kunnen worden geplukt (geplukt kunnen worden).** These are the apples which can be picked by the boys.

There is also an example of this in Leestekst 2:

> **Het betreft . . . medicijnen die door uw arts voorgeschreven kunnen worden.**

## *Oefeningen*

54 *Read through the following passage describing the different types of hospital found in the Netherlands. Underline all the passive constructions you can find. Are they all in the same tense or are different tenses used?*

*Then translate the passage into English. A list of new vocabulary follows the text.*

Er zijn in Nederland ongeveer 200 ziekenhuizen, die in drie groepen kunnen worden onderscheiden, namelijk academische, algemene en categoriale ziekenhuizen:

- *academische ziekenhuizen* zijn verbonden aan de medische faculteit van een universiteit. Naast de patiëntenzorg, worden hier ook artsen opgeleid en wordt medisch onderzoek verricht.
- *algemene ziekenhuizen*: hier kunnen patiënten met verschillende soorten aandoeningen worden opgenomen en behandeld. Vaak wordt er een polikliniek verbonden aan deze ziekenhuizen.
- *categoriale ziekenhuizen*: in deze instellingen wordt door één specialisme hulp aangeboden. Voorbeelden zijn een oogkliniek of een kinderziekenhuis.

### *Woordenschat*

| | |
|---|---|
| **onderscheiden** | to distinguish |
| **het academische ziekenhuis** | teaching hospital |
| **het categoriale ziekenhuis** | specialized hospital |
| **verbinden** | to attach |
| **de faculteit** | faculty |
| **de zorg** | care |
| **opleiden** (sep.) | to train |
| **het onderzoek** | research |
| **verrichten** | to perform, conduct |
| **de aandoening** | disorder |
| **behandelen** | to treat |
| **de polikliniek** | outpatient clinic |
| **de instelling** | institution |
| **het specialisme** | specialism, speciality |
| **de oogkliniek** | eye clinic |
| **het kinderziekenhuis** | children's hospital |

→

## *Oefeningen*

55

**a)** *Change the following passive sentences from the present tense to the perfect tense.*

1 Zij worden door de tunnel geleid.
2 Ik word iedere dag naar het station gebracht.
3 Wij worden dikwijls door die man uitgenodigd.
4 Er wordt gebeld.
5 Hij wordt door zijn moeder verwacht.

**b)** *Now put the same sentences into the simple past tense ...*

**c)** *... and now into the past perfect.*

# Luistertekst

*Woordenschat*

| | |
|---|---|
| **dagelijks** | every day |
| **het spreekuur** | surgery |
| **gelieve** | please |
| **aanwezig** | present |
| **indien** | if |
| **wensen** | to want, desire |
| **de toon** | tone |
| **verdragen** | to bear, stand |
| **de nekpijn** | neck pain |
| **de griep** | flu |
| **spoedig** | quickly |

*Uitdrukkingen*

| | |
|---|---|
| **een afspraak maken** | to make an appointment |
| **contact met iemand opnemen** | to get in touch with someone |
| **zich zorgen maken** | to be worried |
| **hoge koorts hebben** | to have a high temperature |
| **klagen over** | to complain of |
| **lijken op** | to resemble |

## Meneer Brouwer belt de huisarts

*Meneer Brouwer's daughter is ill. He rings the doctor and gets a recorded message.*

[*Brrr, Brrr . . .*]

*Antwoordapparaat* U bent verbonden met het antwoordapparaat van Dokter Anna Prinsenbeek. Dokter Prinsenbeek heeft dagelijks spreekuur van 9 tot half 11 's morgens, behalve op zondag. Op maandag, dinsdag, donderdag en vrijdag avond tussen half 6 en 7 uur wordt ook spreekuur gehouden. Gelieve voor het avondspreekuur een afspraak te maken via onze receptioniste die tijdens het spreekuur aanwezig is. Indien u een bezoek wenst, geef dan na de pieptoon uw naam,

| | |
|---|---|
| | telefoonnummer en de reden voor het gewenste bezoek. Binnen een uur zullen wij telefonisch contact met u opnemen. |
| | [*Pause* ..... *Tone*] |
| *Meneer Brouwer* | Met Jan Brouwer, Koningin Julianaweg 23. Telefoon 23.56.78. Ik bel in verband met mijn jongste dochter, Ellie, die de hele dag al ziek is. Zou u naar haar kunnen komen kijken? Ik maak me zorgen omdat ze erg hoge koorts heeft – 39 graden – en geen licht kan verdragen. Ze klaagt ook over nekpijn en heeft al de hele namiddag hoofdpijn. We dachten in het begin dat het griep was, maar daar lijkt het nou niet meer op. Ik hoop dat u spoedig kunt komen. Dag. |

## Using your spoken Dutch

### 1 Expressing anxiety

There is a variety of ways of expressing worry and anxiety explicitly:

- **Ik maak me zorgen over ...**
  I am worried about ...
- **Ik maak me ongerust over ...**
  I am worried about ...
- **Ik ben bang dat ...**
  I am afraid that

An indirect way of communicating anxiety is to convey a sense of urgency: **Ik hoop dat u spoedig kunt komen**/I hope you can come quickly.

### 2 Reassuring someone

The simplest way is to insert a negative into the phrases given above:

**Maakt u zich/maak je je geen zorgen**
Don't worry

**U hoeft zich/je hoeft je geen zorgen te maken**
You don't need to worry
**Maakt u zich/maak je je niet ongerust**
Don't worry
**U hoeft zich/je hoeft je niet ongerust te maken**
You don't need to worry

## *Oefeningen*

### 56 Spreekoefening

*Situation: Your son, Piet, is ill with earache (**oorpijn**) and you ring the doctor.*

| | |
|---|---|
| *Dokter* | **Met Dokter de Bruin.** |
| *You* | Greet the doctor and say you are ringing about your son. |
| *Dokter* | **Dag, mevrouw. Wat is er met Piet aan de hand?** |
| *You* | Say that he's had earache for three days. Remind the doctor that he prescribed antibiotics two days ago. Say you're worried. |
| *Dokter* | **Kunt u misschien zeggen waarom?** |
| *You* | Say Piet is no better, the pain is increasing and he can't sleep because of it. |
| *Dokter* | **Goed. Maakt u zich geen zorgen. Ik kom zo gauw mogelijk langs.** |

# Les Zeven **Ontspanning**

## Leestekst 1

*Robinson is a teenage girl whose father is usually away at sea. He has come to pay a Christmas visit to Robinson and her mother, and persuades Robinson to go ice skating. Robinson invites her good friend Daniel who, much to her mother's disappointment, is just a friend. The passage is from a novel by Doeschka Meijsing entitled* ***Robinson.***

Op de banken bij de ingang van de ijsbaan – een ondergelopen tenniscomplex, hier en daar schemerden rode plekken gravel door het ijs – zat Robinson trots naast haar vader. Hij was zo groot en sterk, bond zo rustig zijn schaatsen onder. Hij knielde voor haar om haar schaatsen te controleren. Ze keek op zijn hoofd en zijn schouders en voelde zich veilig. Wie zo je schaatsen controleert behoedt je voor elke val op het ijs.

Vlak voor hun voeten trok een schaatser witte vlammende groeven in het ijs bij het remmen. Toen Robinson opkeek zag ze dat het Daniël was. Ze stelde hem voor. [. . . ]

Na enige voorzichtige bewegingen op de plaats probeerden ze gedrieën het eerste rondje. Robinson voelde het trekken in haar kuiten en onder de bal van haar voet. Maar na de eerste rondjes ging het beter. Ze schaatste tussen hen tweeën in en voelde zich alsof de hele wereld haar niet meer uit deze stemming kon verjagen.

Na twee, drie maal rond te zijn geweest, moest haar vader iets controleren aan zijn schaatsriem. Ze namen plaats op de bank bij de ingang. Daniël ging op warme chocola uit.

*Woordenschat*

| | |
|---|---|
| **de bank** | bench |
| **de ijsbaan** | skating-rink |
| **ondergelopen** | flooded |
| **het tenniscomplex** | tennis-complex |
| **schemeren** | *here*: to show through |
| **de plek** | spot |

| | |
|---|---|
| **het gravel** | gravel (for tennis-court surfaces) |
| **het ijs** | ice |
| **trots** | proud(ly) |
| **sterk** | strong |
| **onderbinden** (sep.) | to tie (skates) on |
| **de schaats** | ice skate |
| **knielen** | to kneel |
| **controleren** | to check |
| **de schouder** | shoulder |
| **veilig** | safe |
| **de val** | fall |
| **de schaatser** | skater |
| **vlammend** | swirling |
| **remmen** | to brake, stop |
| **opkijken** (sep.) | to look up |
| **voorzichtig** | careful |
| **de beweging** | movement |
| **gedrieën** | in a threesome |
| **het rondje** | circuit, round trip |
| **de kuit** | calf (part of leg) |
| **de stemming** | mood |
| **verjagen** | to chase away |
| **de schaatsriem** | skate strap |

### *Uitdrukkingen*

| | |
|---|---|
| **behoeden voor** | protect from |
| **vlak voor** | right in front of |
| **groeven trekken** | to make/carve grooves |
| **iemand voorstellen** | to introduce someone |
| **op de plaats** | on the spot |
| **tussen . . . in** | in between . . . |
| **plaats nemen** | to sit down |
| **op iets uit gaan** | to go in search of something |

## Kommentaar op Leestekst 1

### 1 *Wie zo je schaatsen controleert . . .*

When **wie** introduces a question it is translated into English as 'who'. When **wie** introduces a sentence which is not a question, it is equivalent to English 'anyone who', or 'whoever'. So this sentence means something like: 'Anyone who checks your skates like that will protect you from any falls on the ice.'

## 2 *bij het remmen*

See Les 5, Grammatica §2 ii.

## 3 *gedrieën, tweeën*

The cardinal numbers in Dutch (e.g. **twee, drie**) add the ending **-en** when they are used independently. For example:
**in tweeën delen**/divide into two
**tussen hen tweeën in**/in between the two of them

They can also add the prefix **ge-** to the form which already ends in **-en** to give **getweeën, gedrieën**, etc. The resulting words are equivalent to 'the two of us/them', 'the three of us/them' and so on:
**ze probeerden gedrieën het eerste rondje**
the three of them tried out their first circuit

**Getweeën, gedrieën**, etc. are equivalent to the more usual, colloquial forms **met z'n tweeën, met z'n drieën**.

## 4 Spelling: when to use the double dot (*trema*)

The function of the **trema** is to show where a new syllable begins. It is placed above the first letter (always a vowel) of the new syllable. You always find a **trema** where there is a string of vowels and there is a possibility of confusion about where one syllable ends and the next begins. **Drie** + **en** has two syllables and the dots tell us that the division comes between the two **e**s: **drie:ën**. Notice also the spelling of **Daniël** in Leestekst 1.

## 5 *Na twee, drie maal rond te zijn geweest . . .*

The construction **te** + **zijn** + past participle is equivalent to English 'having + past participle'. The example above translates as:

After having been round two or three times . . .

## *Oefeningen bij Leestekst 1*

**57** *Say whether the following statements about the text are true or false.*

1 De tekst beschrijft een onprettige ervaring van Robinson.
2 Robinson voelt zich veilig bij haar vader.
3 Hij bindt haar schaatsen voor haar onder.
4 De schaatser die witte, vlammende groeven in het ijs trekt, is Daniël.
5 Robinson schaatst samen met Daniël.
6 Daniël gaat warme chocola halen.

**58** *Fill in the gaps with an appropriate preposition.*

1 Ze zaten _____ de bank _____ de ingang.
2 Robinson zat _____ haar vader _____ de bank.
3 Daniël trok groeven _____ het ijs _____ het remmen.
4 Ze begonnen te schaatsen _____ enige bewegingen _____ de plaats.
5 Niets kon Robinson _____ deze stemming verjagen.
6 Robinsons vader moest ophouden om iets _____ één _____ zijn schaatsen te controleren.

**59** *Fill in the gaps with a word taken from the list below and alter its form if necessary.*

**trots, sterk, controleren, schaatser, voorzichtig, beweging, remmen.**

1 De meeste ouders zijn _____ op hun kinderen.
2 Je moet erg _____ zijn op het ijs.
3 Ik weet niet of ze onze paspoorten zullen _____ .
4 Zie je die _____ daar op het ijs die net gevallen is?
5 Toen ik bij de halte aankwam was de bus al in _____ zodat ik op de volgende moest wachten.
6 Mijn zoontje is lief maar hij heeft een _____ wil en luistert niet altijd naar me.
7 De auto _____ hard om een ongeluk te voorkomen.

# Leestekst 2

*The following texts are taken from tourist/leisure brochures. The first, from a Belgian brochure, briefly describes the attractions of Bokrijk Open Air Museum (**Het Openluchtmuseum Bokrijk**). The second text is taken from a magazine for outdoor interests, and describes a 'round-Holland' cycle trip.*

## Het Openluchtmuseum Bokrijk

Dit 550 hectaren groot natuurdomein is een prachtig wandelgebied met een indrukwekkend arboretum, een romantische rozentuin, een boeiende kruidentuin, vijvers, bossen en een dierenpark.

In het Openluchtmuseum met zijn unieke verzameling sfeervolle boerderijen, molens en kapelletjes, dorpsherbergen en indrukwekkende stadswoningen, zet u een heerlijke stap in een rijk verleden.

Fijnproevers en liefhebbers van regionale gerechten en streekbieren kunnen terecht in één van de zeven herbergen en restaurants.

ROUTE 74 ROUTES VAN LEZERS

## Nederland:

**langs de grens**

**Een verkenning per fiets van de vaak onbekende grenzen en grensregio's van ons land. Een rondje Nederland in 2 à 3 weken. Alle overnachtingen kunnen plaatsvinden op kampeerbewijsterreinen, en het aantal warme douches dat je tegenkomt valt niet tegen.**

## Nederland: Langs de grens

De tocht start in Hoek van Holland en eindigt in Hellevoetsluis. Met de klok meefietsen is het beste vanwege de overheersende zuidwestelijke wind. De eerste stukken leiden door een afwisselend duingebied. Daarna fiets je over de afsluitdijk. Dit lijkt saai, maar het uitzicht over het brede IJsselmeer is de moeite waard. Friesland is zeer open, Groningen is net iets meer begroeid. Je slaat dan rechtsaf en fietst langs de Duits-Nederlandse grens. Na de veengebieden beland je in het kleinschalige landschap van Twente en de Achterhoek.

Rondom Nijmegen beginnen de eerste heuvels. Na Sittard fiets je richting Vaals (het drielandenpunt). De Zuidlimburgse heuvels maken het fietsen zwaar, maar ook heel erg mooi.

Weer naar het noorden, en na Leende loopt de route verder westwaarts, langs de Belgische grens. Daarna Zeeuws-Vlaanderen en dan weer naar het noorden. In Zeeland zorgen de Deltawerken ervoor dat je snel het rondje volmaakt.

*Woordenschat*

| | |
|---|---|
| **het natuurdomein** | nature reserve, natural area |
| **het wandelgebied** | walking-area |
| **indrukwekkend** | impressive |
| **het arboretum** | arboretum |
| **de rozentuin** | rose garden |
| **boeiend** | fascinating |
| **de kruidentuin** | herb garden |
| **de vijver** | lake |
| **het dierenpark** | zoo |
| **de verzameling** | collection |
| **sfeervol** | atmospheric |
| **de molen** | (wind)mill |
| **het kapelletje** | small chapel |
| **de dorpsherberg** | village inn |
| **de fijnproever** | gourmet, connoisseur |
| **de liefhebber** | lover, enthusiast |
| **het streekbier** | regional beer/local beer |
| **de tocht** | trip, journey |
| **eindigen** | to end |
| **vanwege** | on account of |
| **overheersend** | prevailing |
| **zuidwestelijk** | south-westerly |

| | |
|---|---|
| **afwisselend** | varied |
| **het duingebied** | dune area, dune landscape |
| **de afsluitdijk** | the 'Afsluitdijk', enclosing dyke |
| **lijken** | to seem |
| **het uitzicht** | outlook, view |
| **begroeid** | covered in greenery |
| **rondom** | around |
| **het veengebied** | peat moor, moorland |
| **belanden** | to arrive |
| **kleinschalig** | small-scale |
| **de heuvel** | hill |
| **richting** | in the direction of |
| **het drielandenpunt** | three-countries point |
| **westwaarts** | westwards |
| **volmaken** | to complete (*e.g.* a circle) |

### *Uitdrukkingen*

| | |
|---|---|
| **550 hectaren groot** | covering 550 hectares |
| **een stap zetten** | to take a step |
| **kunnen terecht in** | can go to |
| **langs de grens** | along the border |
| **met de klok mee** | clockwise |
| **de moeite waard** | worth the effort |
| **rechtsaf (linksaf) slaan** | to turn right (left) |
| **ervoor zorgen** | to ensure |

## Kommentaar op Leestekst 2

### 1 *Dit 550 hectaren groot natuurdomein*

This 'compressed' adjectival phrase placed before the noun is quite common in Dutch. In English, the same function often requires a relative clause: "This nature reserve, which covers 550 hectares" – although expressions such as "This 550-hectare nature reserve" are also sometimes used.

### 2 *het natuurdomein*

More usual would be **het natuurgebied**.

### 3 *het dierenpark*

Another word for **de dierentuin**.

**4** ***In het Openluchtmuseum met zijn unieke verzameling sfeervolle boerderijen, molens en kapelletjes, dorpsherbergen en indrukwekkende stadswoningen, zet u een heerlijke stap in een rijk verleden.***

Long sentences like this can be difficult to unravel. One way of making this easier is to separate the 'main information' in the sentence from the 'secondary information', by linking up the subject and main verb. The sentence used here is slightly complicated by the fact that the subject follows the verb, but the principle is the same. The sentence begins with **In het Openluchtmuseum**. Since this is an adverbial phrase and therefore not the subject of the sentence, we know that inversion of subject and verb must take place in order to keep the verb in position 2 (see also Les 1, Grammatica). If we look for the inverted main verb and subject, we find **zet u**, and we can then see the structure of the 'main' part of the sentence:

**U zet een heerlijk stap in een rijk verleden.**

Having established this, the rest of the sentence, which consists of a series of phrases making up one long adverbial phrase (see this lesson's Grammatica §2 & §3, and Les 1, Grammatica), becomes easier to cope with.

**5** ***met de klok mee***

Notice how the verb **fietsen** attaches itself to **mee**, which is really part of the expression **met de klok mee**.

The Dutch for 'anticlockwise' is **tegen de klok in**.

**6** ***Afsluitdijk, Deltawerken***

The 'Afsluitdijk', or Barrier Dam, and the **Deltawerken** (Delta Project) are two of the most ambitious and successful hydraulic engineering projects ever carried out. The **Afsluitdijk**, which was completed in 1932, is a 30km-long dam built to close off the northern end of what was formerly called the Zuyderzee, creating a huge natural lake (the IJsselmeer) separated from the sea. Among other things, the construction of the Afsluitdijk enabled large tracts of land ('polders') within the IJsselmeer to be reclaimed for farming and housing; examples include Flevoland (now a province in its own right) and the **Noordoostpolder** (North-East Polder). (See map A)

# A

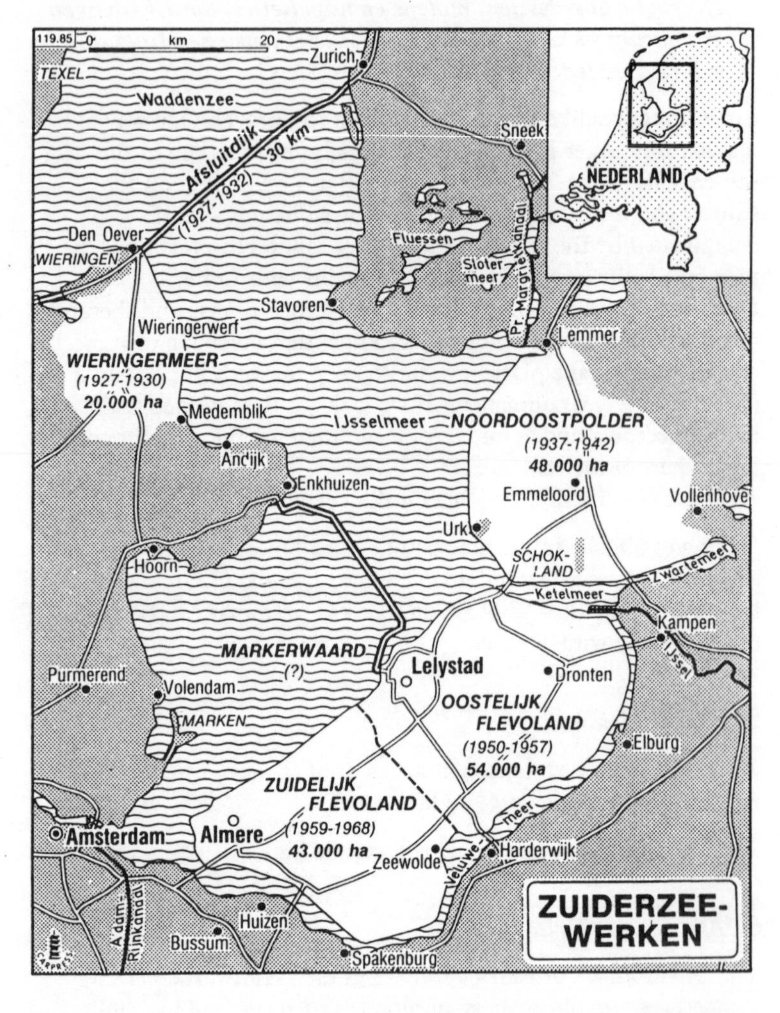


The Delta Project was initiated after floods in 1953 devastated large areas of land in the provinces of Zeeland and South Holland in the south-west of the Netherlands, killing more than 1800 people and tens of thousands of cattle. This huge hydraulic engineering project, costing many billions of guilders, involved closing the great river estuaries with massive dams linking the islands in these provinces. As a result, the many hundreds of kilometres of dykes around the islands are out of reach of storm tides. The Project was completed in 1986. (See map B)

# B

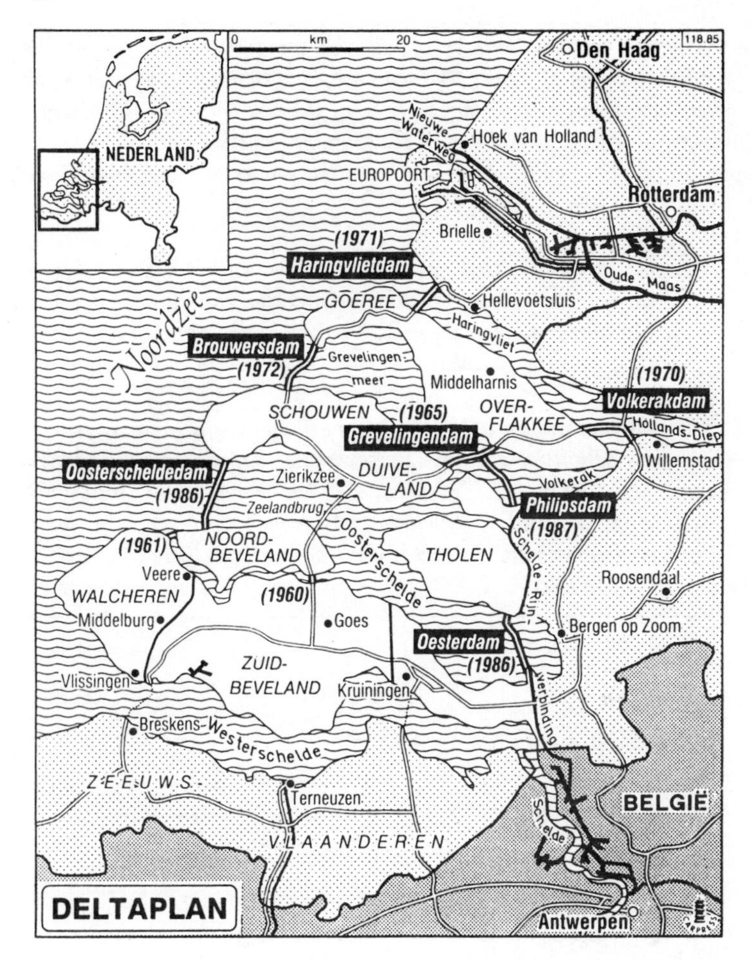
0 km 20
118.85
Den Haag
NEDERLAND
Nieuwe Waterweg
Hoek van Holland
EUROPOORT
Rotterdam
Brielle
(1971)
Haringvlietdam
Oude Maas
GOEREE
Hellevoetsluis
Noordzee
Haringvliet
Brouwersdam
(1972)
Grevelingen meer
Middelharnis
(1970)
Volkerakdam
SCHOUWEN
(1965)
OVER-FLAKKEE
Grevelingendam
Hollands Diep
Willemstad
Oosterscheldedam
(1986)
Zierikzee
DUIVE-LAND
Volkerak
Zeelandbrug
Philipsdam
(1987)
(1961)
NOORD-BEVELAND
Oosterschelde
THOLEN
Veere
Schelde-Rijn-verbinding
Roosendaal
WALCHEREN
(1960)
Middelburg
Goes
Bergen op Zoom
Oesterdam
(1986)
ZUID-BEVELAND
Vlissingen
Kruiningen
Breskens
Westerschelde
ZEEUWS-
Terneuzen
BELGIË
Schelde
VLAANDEREN
DELTAPLAN
Antwerpen

### *Oefeningen bij Leestekst 2*

**60** *Make a list (in Dutch) of all the things you can see at the Openluchtmuseum Bokrijk. In each case, don't simply write down the various attractions just as they appear in the text (often in the plural). Instead, write each item down in the singular, together with de or het as appropriate. This will help you to learn the gender of these words more easily.*

**61** *Imagine you have been asked by someone with no knowledge of Dutch to list* **in English** *the essential information contained in the text about the Openluchtmuseum Bokrijk. You might end up with about five or so points, depending on what you select as important information.*

**62** *Imagine you are on a 10-day cycling holiday in Holland. Briefly describe your activities each day. For example:* ***'Op de eerste dag zijn we van _____ naar _____ gefietst. Het weer was mooi, maar het was een lange afstand.'*** *You might find the map in 'Nederland: langs de grens' is of some help. As this is an open exercise, there is no key at the back of the book.*

# GRAMMATICA

## Adverbials

These tell us when, where and how the action denoted by the main verb is performed. In Dutch they can consist of one word, a single preposition phrase, or a larger unit consisting of two or more preposition phrases.

### 1 Adverbs

In Dutch, these are the same as uninflected adjectives:

**Hij bond ... zo rustig zijn schaatsen onder.**
He tied his skates on so calmly.

**Rustig** tells us how Robinson's father tied his skates on.

### 2 Simple Adverbial Phrases

These give the same sort of information as adverbs and consist of a preposition + noun phrase. For example:

- ***na de eerste rondjes* ging het beter**
  after the first few circuits they improved
- **hij knielde *voor haar***
  he kneeled in front of her

The first adverbial phrase tells us when things started to improve, and the second tells us where Robinson's father was kneeling. Note that the noun phrase which follows the preposition can consist of a noun or a pronoun.

### 3 Compound Adverbial Phrases

Phrases like those in section 2 above can be added together to form larger units. For example:

**Op de banken bij de ingang van de ijsbaan ...**
On the benches by the entrance to the ice rink ...

**Na enige voorzichtige bewegingen op de plaats ...**
After a few careful movements on the spot ...

Each of the above examples contains more than one individual adverbial phrase joined into compound adverbials. The first compound adverbial tells us where and the second when.

## 4 Order of Adverbials

There are three types of adverbial, i.e. those describing when, how and where. Where these occur together in the same sentence, they **must occur in that order.**

| | WHEN | HOW | WHERE |
|---|---|---|---|
| **Robinson zat** | | **trots** | **naast haar vader** |
| Robinson sat | | proudly | next to her father |
| **Ik ging** | **om drie uur** | **snel** | **naar het station** |
| I went | at 3 o'clock | quickly | to the station |

### *Oefeningen*

**63** *The following adverbs all describe how something is done. Fill in the gaps with an appropriate adverb.*

**rustig, snel, voorzichtig, langzaam, trots**

1 Het meisje fietste _____ omdat het hard waaide.
2 De jongen schaatste _____ omdat hij pas had leren schaatsen.
3 Willen jullie je broodjes _____ opeten want ik wil nu al weggaan.
4 Het kind lachte _____ terwijl het naar zijn nieuwe fiets keek.
5 We zaten _____ te lezen toen er werd gebeld.

**64** *Complete the adverbial phrases in the following passage by supplying the missing preposition.*

**grissen** = to snatch

_____ een vroege morgen _____ het nieuwe jaar riep haar moeder van boven. Robinson stond op het punt _____ school te gaan. Ze rende de trap op en ging haar ouders slaapkamer binnen. _____ het open raam stond haar moeder, _____ één hand de broek van haar vader die naar de stomerij moest, _____ de andere hand een kleurig ijsmutsje. Ze griste het mutsje _____ haar moeders hand en stopte het haastig _____ haar schoolboeken. _____ de tuin stond haar vader een pijp te roken. De rook kringelde op _____ de heldere blauwe vrieslucht.

→

**65** *Reorganize the groups of words to form sentences.*

1 van het park//rustig//een grote sterke man//zat//bij de ingang//op de bank
2 over de afsluitdijk//fietst men//van de tocht//op de eerste dag//langs de grens
3 eten//liefhebbers van regionale gerechten//in één van de zeven herbergen//kunnen//makkelijk
4 kunt u//door de tuinen en bossen//wandelen//in het Openluchtmuseum Bokrijk//heerlijk

## Luistertekst

*Listen to this conversation between two friends talking about what they would and would not like to do on a day off work.* ***Vrij hebben*** *= 'to have a day off';* ***de duin*** *= sand dune.*

### Als je morgen vrij had . . .

*A* Zeg, als je morgen vrij had, wat zou je dan willen gaan doen?
*B* Ik zou het liefst een fietstocht maken. Maar waarom vraag je dat?
*A* Omdat ik zelf morgen vrij heb en niet weet wat ik wil gaan doen.
*B* Je zou ook naar het sportcomplex kunnen gaan – daar kun je een beetje van alles doen: zwemmen, eh . . . O ja! Je kan natuurlijk alleen tennissen of badmintonnen als er iemand met je meegaat. Als dat niet lukt zou je altijd een eenzame wandeling kunnen maken langs het strand of door de duinen.
*A* Alsjeblieft niet! Daar zou ik meteen depressief van worden.
*B* Dan weet ik het echt niet meer. Nou heb ik genoeg van dit spelletje. Als je wilt dat ik met je meega, moet je dat ronduit zeggen!

## Using your spoken Dutch

NOTE that sections 1–3 below, dealing with **zou/zouden**, will be supplemented with extra grammar in the following lesson.

### 1 Talking about wishes for the future

Use a combination of **zou/zouden** + **willen** + infinitive. For example:

**Ik zou een fietstocht willen maken**
I would like to go on ('make') a cycling tour

To enquire about someone's wishes, use a **wat**-question:

**Wat zou je willen gaan doen?**
What would you like to (go and) do?

**Gaan** is not strictly necessary here, although it is frequently used when talking about what you would like to do in the immediate future.

## 2 Talking about possibilities for the future

Use a combination of **zou/zouden** + **kunnen** + infinitive. For example:

**Je zou naar het sportcomplex kunnen gaan**
You could go to the sports complex

**Je zou altijd een eenzame wandeling kunnen maken**
You could always go for ('make') a lonely walk

## 3 Talking about probabilities for the future

Use **zou/zouden** + infinitive. Note that no modal verb is used this time:

**Daar zou ik meteen depressief van worden**
It would make me feel depressed

## 4 Expressing impatience

Obviously, there are many ways of expressing impatience. A mild way of indicating that you don't wish to prolong a discussion is to give up on the person:

**Dan weet ik het echt niet meer!**
Well I really don't know (what to suggest)!

A way of putting it more bluntly is to say:

**Nou heb ik er genoeg van!**
Now I've had enough!

### *Oefeningen*

#### 66 Spreekoefening

*Answer the following questions in Dutch. When you have finished the guided version, try giving your own answers.*

1 **Als je morgen vrij had, wat zou je dan willen doen?**
Say you would like to go to the tennis complex, or failing that you would like to go for a walk.

2 **Ik heb morgen vrij. En jij?**
Say you are free too.
**Zullen we samen iets gaan doen?**
Say yes, that would be nice.
**Wat zouden we kunnen doen?**
Say we could go on a cycling trip across the Afsluitdijk to Friesland.

3 **Wat zullen we doen?**
Say we could play tennis
**Liever niet. Weet je iets anders?**
Say we could play badminton
**Weet je niets anders?**
Say we could go swimming
**Alsjeblieft niet! Daar is het veel te koud voor.**
Say you really don't know what to suggest and you've had enough. Say you're going for a lonely walk on the beach!

# Les Acht **Mensen en Hun Verhoudingen**

## Leestekst 1

*This passage looks at the changing relationships between the sexes in Holland, and how this has affected attitudes towards finding a partner. It is taken from a magazine for secondary schools and the focus is on young people.*

### Op de versiertoer

Eén van de doelstellingen van de emancipatie was de 'feminisering van de mannenmaatschappij'. Vrouwen zouden 'mannendingen' gaan doen en mannen zouden 'vrouwendingen' gaan doen. In de praktijk is er in ieder geval van het eerste al veel gerealiseerd. Nog maar weinig meisjes kiezen voor een bestaan als echtgenote, huisvrouw en moeder zònder een baan 'buitenshuis'. Het toekomstbeeld van de meeste jongens is ongeveer hetzelfde als 50 jaar geleden: een carrière op de eerste plaats en een vrouw en kinderen op de tweede.

Zo komt het misschien dat de verhoudingen tussen jongens en meisjes op het gebied van de liefde nog zo traditioneel zijn. Jongens voelen zich tot meisjes aangetrokken omdàt ze meisjes zijn, en andersom (ik beperk me hier tot heteroseksuele verhoudingen). Je gedrag op het gebied van de liefde en seks wordt grotendeels bepaald door je 'sekse-identiteit': het besef dat je een jongen of een meisje bent. Versieren gebeurt op grond van het verschil tussen de seksen, en dus is het logisch dat het juist op dit gebied moeilijk is om door de traditionele patronen (jongen versiert meisje, meisje wacht af) heen te breken.

Versieren is niet de beste manier om iemand te leren kennen. Het vervelende van versieren is dat het uiterlijk een belangrijke rol speelt. Maar als je versieren niet te serieus opvat, zou je er veel plezier aan kunnen beleven.

**Tekening Peter van Straaten**

"ZEG ... ALS JE IETS WIL, NEEM JIJ HET INITIATIEF WEL, HÈ?"

### *Woordenschat*

| | |
|---|---|
| **de verhouding** | relationship |
| **de doelstelling** | goal |
| **de emancipatie** | emancipation |
| **de feminisering** | feminization |
| **de mannenmaatschappij** | male-dominated society |
| **mannendingen** | men's things |
| **vrouwendingen** | women's things |
| **realiseren** | to achieve |
| **het bestaan** | existence |
| **de echtgenoot** | spouse |
| **de echtgenote** | female spouse, wife |
| **de huisvrouw** | housewife |
| **buitenshuis** | outside the home |
| **het toekomstbeeld** | view of the future |
| **de carrière** | career |
| **de liefde** | love |
| **traditioneel** | traditional |
| **andersom** | vice versa |
| **heteroseksueel** | heterosexual |
| **de seks** | sex |
| **grotendeels** | largely |
| **bepalen** | to determine |
| **de sekse** | gender |
| **het besef** | realization, sense |
| **versieren** | to pick up, to chat up |
| **logisch** | logical |
| **het patroon** | pattern |
| **het uiterlijk** | appearance |
| **beleven** | to experience |

### *Uitdrukkingen*

| | |
|---|---|
| **op de versiertoer** | going out to pick someone up |
| **in de praktijk** | in practice |
| **in ieder geval** | at any rate, in any case |
| **het eerste** | the former |
| **nog maar weinig meisjes kiezen** | only a few girls still choose |
| **op de eerste/tweede/ . . . plaats** | in the first/second/ . . . place |
| **op het gebied van** | in the area/field of |
| **aangetrokken tot** | attracted to |
| **zich beperken tot** | to restrict oneself to |
| **op grond van** | on the basis of |
| **iets serieus opvatten** | to take something seriously |
| **ergens plezier aan beleven** | to derive pleasure from something |

## Kommentaar op Leestekst 1

### 1 Use of accents in Dutch

These are used in writing to show where emphasis falls. There are several examples in the text:

- **Eén van de doelstellingen**/One of the goals

If you want to distinguish between the Dutch words for 'one' and 'a', you must use accents in writing, since otherwise these two words look the same: **één** = one, **een** = a. There is no problem in spoken Dutch because they sound different.

The next example shows an accent used purely for emphasis and not to distinguish the word from another one:

- **zònder een baan 'buitenshuis'**/without a job outside the home

In English, we would use underlining or italics. This is also the case with

- **omdàt ze meisjes zijn**/because they are girls

Remember that the accents do not belong with the word – they are added to show special emphasis. However, there are French words used in Dutch which keep their original accent, i.e. the accent is part of the word, as in **carrière** above.

### 2 *je gedrag wordt bepaald door . . .*

Note this example of a present tense passive – 'your behaviour is determined by . . .'

### 3 *door de traditionele patronen heen*

Dutch has some prepositions which consist of two parts used in a sandwich construction:

**door . . . heen** = through

Other frequent examples are **naar . . . toe** = to; **op . . . af** = towards.

### 4 *het* + adjective + *-e van*

The example in the text is:

**het vervelende van versieren**
the boring thing about chatting people up

However, you can use this formula very widely. For example:

**het interessante van dit boek**
the interesting thing about this book

## *Oefeningen bij Leestekst 1*

**67** *Rearrange the following sentences to make a summary of the text.* ***Gezinsleven*** *means 'family life'.*

1 Toch kun je er veel plezier aan beleven.
2 De emancipatie van vrouwen is niet zo duidelijk te zien op het gebied van de liefde.
3 Vrouwen hebben zich meer als mannen leren gedragen, maar andersom is dit niet her geval.
4 Dat wil zeggen dat jongens en meisjes nog steeds traditionele rollen hebben: jongens versieren en meisjes worden versierd.
5 Hoewel de meisjes niet meer in de eerste plaats aan een bestaan als huisvrouw denken, willen de mannen een traditioneel gezinsleven hebben.

**68** *Now translate your summary into English.*

**69** *Fill in the gaps in the sentences below with a word taken from the list. Use each word once, altering its form if necessary. There is also some new vocabulary:* ***het toppunt*** *(high point),* ***verliefd worden*** *(to fall in love),* ***de geliefde*** *(the beloved),* ***getrouwd*** *(married).*

**liefde, verhouding, seks, echtgenoot, huisvrouw, versieren, emancipatie, uiterlijk, traditioneel.**

1 De man heeft een carrière en de vrouw heeft kinderen. Dat zijn de _____ rollen.
2 Nog maar weinig meisjes zien een bestaan als _____ als het toppunt van hun carrière.
3 Een bestaan zonder _____ en _____ brengt niet veel plezier.
4 Voor de meeste meisjes die verliefd worden, is het _____ van hun geliefde erg belangrijk.
5 De _____ van vrouwen heeft in de mannenmaatschappij veel veranderd.
6 _____ is een ander woord voor een getrouwde persoon.
7 Ze kunnen heel goed met elkaar opschieten: ze hebben een goede _____.
8 Als je iemand wilt _____, ga je naar een discotheek of een feest.

# Leestekst 2

*The passage below is taken from an article entitled 'Als de kinderen het huis niet uit willen' ('When the children don't want to leave home'). It describes how Annemie was helped by her son when she went through a marital crisis, and how she is now supporting him as he faces a similar emotional crisis.*

## 'Nu is het mijn beurt om hem op te vangen'

Annemie (46) heeft niet alleen een prettige verstandhouding met haar zoon Roel (25), ze hebben elkaar ook min of meer nodig. Zes jaar geleden kondigde Annemies man volslagen onverwacht aan, dat hij wilde scheiden en bij zijn vriendin gaan wonen. Dat was juist in de periode dat zoon Roel op het punt stond te gaan studeren. De plannen gingen niet door; hij bleef bij zijn moeder wonen. Volgens eigen zeggen omdat hij bang was dat zij 'gekke dingen' zou doen.

Dankzij Roel krabbelde Annemie er weer bovenop en inmiddels heeft ze een drukke baan en veel leuke collega's, zodat ze niet meer zo bang is om alleen te zijn. Ze gunde het Roel dan ook van harte toen hij vorig jaar aankondigde dat hij met zijn vriendin Ingrid zou gaan samenwonen.

Maar een maand voordat ze in hun nieuwe woning zouden intrekken, maakte Ingrid het uit. En Roel was gebroken, totaal kapot. Annemie: 'Toen was het logisch dat ik dacht: nu is het mijn beurt om hem op te vangen.' En nu ziet ze hoe hij heel langzaam weer een beetje de oude wordt. 'Ik heb hem gewoon weer een beetje vertroeteld net als vroeger. En daar schaam ik mij niet voor, want ik zie aan alles dat het werkt. Over een tijdje zal hij wel vertrekken. Maar dan ben ik er ook gerust in, dat hij het redt.'

### *Woordenschat*

| | |
|---|---|
| **de beurt** | turn |
| **opvangen** (sep.) | to take care of |
| **de verstandhouding** | understanding, relationship |
| **aankondigen** (sep.) | to announce |
| **volslagen** | totally, completely |
| **onverwacht** | unexpected(ly) |
| **scheiden** | to separate, divorce |
| **de vriendin** | girlfriend |

| | |
|---|---|
| **doorgaan** | to go ahead, to go through |
| **dankzij** | thanks to |
| **inmiddels** | (by) now, in the meantime |
| **druk** | [*here*] busy |
| **intrekken** (sep.) | to move in(to) |
| **gebroken** | broken |
| **kapot** | broken, devastated |
| **vertroetelen** | to pamper, spoil, indulge |

### *Uitdrukkingen*

| | |
|---|---|
| **min of meer** | more or less |
| **op het punt staan (om) te . . .** | to be on the point of . . . |
| **volgens eigen zeggen** | in his own words, according to him |
| **er bovenop krabbelen** | (*lit.*) to scramble back up; recover |
| **van harte** | with all one's heart |
| **ze gunde het hem van harte** (**gunnen** = to grant) | she did not begrudge it him at all |
| **het uitmaken** | to finish it (i.e. a relationship) |
| **weer de oude worden** | to become one's old self again |
| **net als vroeger** | just like in the past, just as I used to |
| **zich ergens voor schamen** | to be ashamed of something |
| **over een tijdje** | in a little while |
| **ik ben er gerust in, dat . . .** | I am confident that . . . |
| **het redden** | to manage, to be OK |

## Kommentaar op Leestekst 2

### 1 *Annemies man* (Annemie's husband)

Unlike English, no apostrophe is used before the '**s**' here. Remember that it is only names (of people or places) that can add '**s**' in this way. The other ways of expressing 'possession' (for example **de man van Annemie**) can of course also be used.

### 2 *scheiden*

There are a number of other related words which are used in this context, for example:

| | |
|---|---|
| **de scheiding** | separation, divorce |
| **de echtscheiding** | divorce |
| **de scheiding van tafel en bed** | judicial separation |

### 3 *... dat hij wilde scheiden en bij zijn vriendin gaan wonen*

The phrase means '... that he wanted to separate and go and live with his girlfriend'. Notice that **wilde** (past tense of **willen**) is used only once here, even though there are two infinitive verbal elements (**scheiden** and **gaan wonen**). It is not unusual in Dutch (or English) to avoid repeating the auxiliary verb in this way:

**Ik wil trouwen en veel kinderen hebben.**
I want to get married and have lots of children.

**Je kunt naar beneden gaan en de deur opendoen.**
You can go down and open the door.

**Ik had altijd al willen trouwen en veel kinderen hebben.**
I'd always wanted to get married and have lots of children.

### 4 *de vriendin*

The words **vriend** and **vriendin** have dual meanings: as well as meaning 'boyfriend' and 'girlfriend', they are also used to describe people who are simply friends and who happen to be male or female. Often a distinction is made by using the diminutives **vriendje** and **vriendinnetje** for 'boyfriend' and 'girlfriend', respectively.

### 5 *het uitmaken*

Other related phrases in this context include the following:
**uit elkaar gaan** to break up, to separate
**het is uit (met ons)** it's over (between us)

### 6 *... daar schaam ik mij niet voor*

This translates as 'I'm not ashamed <u>of that</u>': see Les 2, Kommentaar op Leestekst 1.

## *Oefeningen bij Leestekst 2*

**70** *Fill in the gaps in the following sentences using words from the list below (these are all taken from Leestekst 2). Alter the form of the word (for example, tense of the verb) where necessary. Each word is used only once.*

**uitmaken, verstandhouding, logisch, aankondigen, inmiddels, opvangen, scheiden, vertroetelen**

*New vocabulary:*

| | |
|---|---|
| **verliefd op iemand zijn** | to be in love with someone |
| **slaande ruzie hebben** | to have terrible rows, come to blows |
| **opnieuw** | once again |
| **dan ook** | accordingly, therefore |

1 Zijn zijn ouders nog steeds samen? Nee, ze zijn vorig jaar _____ .
2 Jan was heel erg verliefd op Maja, en toen zij het _____ was hij totaal kapot.
3 Wie gaat hem _____ als hij problemen heeft?
4 Mijn man en ik zijn twintig jaar getrouwd, en we begrijpen elkaar nu heel goed: we hebben een hele goede _____ .
5 Zij _____ vorige week _____ , dat ze volgend jaar zullen trouwen.
6 Anja en Piet zijn twee jaar geleden uit elkaar gegaan, maar hij is _____ opnieuw getrouwd.
7 Ik vind het niet goed, hoe ze dat kind altijd zo _____ .
8 Ze hebben bijna iedere dag slaande ruzie; het is dan ook _____ dat ze nu uit elkaar gaan.

**71** *Each of the words in the list below has a meaning which is (more or less) the same as a word or phrase in Leestekst 2. Which are they? (Some of the words below are new, so you will need a dictionary!)*

**meedelen, volledig, uiteengaan, verwennen, binnenkort, relatie, aangenaam, angstig**

**72** *This time, each of the words below has a meaning which is more or less the opposite of a word or phrase in Leestekst 2. Again, try to match them up.*

**ondanks, aankomen, trouwen, ophouden, rustig, snel**

## GRAMMATICA

### 1 Conditional sentences

A conditional sentence is one in which a condition has to be fulfilled before something else can happen. Consider the sentence:

**Als de zon schijnt, gaan we een wandeling maken.**
If the sun shines, we'll go for a walk.

The action in the main clause, **We zullen een wandeling maken**, will only happen if the action in the subclause, **De zon schijnt**, also happens. In other words, the sun shining is a condition which has to be met before we go for a walk. Conditional sentences in Dutch are often introduced by **als** (if), though other words are possible, such as **indien** (more formal), **tenzij** (unless).

Conditional sentences can broadly be divided into three basic types (for simplicity, **als** has been used in each case):

**a) Als** + present tense // **zullen** + infinitive

**Als het regent, zal ik thuis blijven.**
If it rains, I'll stay at home.

Remember too that in Dutch you can often use the present tense to express the future (see *Dutch in Three Months* §47):

**Als het regent, blijf ik thuis.**
If it rains I'm staying at home.

**Als we vroeg klaar zijn, ga ik naar de bioscoop.**
If we're finished early, I'm going to the pictures.

Conditionals of this type talk about the real consequences of an event which may really happen (i.e. it may really rain, and if it does I really will stay at home).

**b) Als** + past tense // **zou(den)** + infinitive

**Als ik zeer rijk was, zou ik iedere dag kaviaar eten.**
If I was very rich, I would eat caviar every day.
**Als we in Nederland woonden, zouden we een fiets moeten kopen.**
If we lived in Holland, we'd have to buy a bike.
**Als ik jou was, zou ik het niet doen.**
If I were you, I wouldn't do it.

These conditionals talk about the imaginary consequences of imaginary (but possible) events. Although the past tense is used, they do not refer to past time.

c) **Als** + past perfect // **zou hebben/zijn** + infinitive

**Als ik genoeg geld had gehad, zou ik die trui gekocht hebben.**
If I had had enough money, I would have bought that jumper.

**Als je Piet gekend had, zou je hem aardig gevonden hebben.**
If you had known Piet, you would have liked him.

Here, a purely hypothetical situation is described which cannot now take place (you didn't in fact know Piet).

**Shorthand form of 'zou + infinitive'**

There is a 'shorthand' form of the **zou** + infinitive construction, in which the simple past of the verb is used, and **zou(den)** is omitted. For example:

**Als ik genoeg geld had, *kocht* ik die trui.**
If I had enough money, I'd buy that jumper.

**Als je Piet gekend had, *had* je hem aardig gevonden.**
If you had known Piet, you'd have liked him.

**Als ik geweten had dat je ziek was, *was* ik je komen bezoeken (zou ik je zijn komen bezoeken)**
If I'd known you were ill, I'd have come to visit you.

You may have noticed that, in fact, contraction is also taking place in the first half of these sentences. Thus, for example, it would be possible (if a bit of a mouthful) to say: **Als je Piet zou hebben gekend, zou je hem aardig gevonden hebben.**

Contraction is also used in other cases, often (but not only) to express regret:

**Had ik het maar niet gedaan!**
If only I hadn't done that!

**Wist ik het maar!**
If only I knew!

**Dat had ik nooit gedaan!** (= **Dat zou ik nooit gedaan hebben!**)
I would never have done that!

**Tenzij**

Using **tenzij** introduces a negative element to a conditional sentence:

**Ik ga niet naar het feest, tenzij jij meegaat.**
I'm not going to the party unless you go too.

## 2 Another use of *zou(den)*

You will find another use of **zou** in both Leestekst 1 and Leestekst 2. It is used to express future expectations or intentions when talking about past time. In such cases the meaning of **zou(den)** is something like 'was (were) intending to', 'was (were) supposed to', 'intended to', etc., depending on the context. Leestekst 1, for example, contains the sentence: **'Vrouwen zouden mannendingen gaan doen en mannen zouden vrouwendingen gaan doen'.**

This translates variously as 'Women were supposed to start doing men's things and men were supposed to start doing women's things' or 'The idea was that women would start doing men's things and men would start doing women's things', etc.

In Leestekst 2 we read that Roel **'zou gaan wonen'** with his girlfriend. This could be translated as 'intended to live', etc.

Other examples:

**Hij zou vandaag komen, maar hij is er nog niet.**
He was supposed to be coming today, but he's not here yet.

**We zouden een wandeling maken, maar het regende.**
We were intending to go for a walk, but it rained.

## 3 Informal letters

**Les 4** contained examples of formal letters. Below is an example of an informal letter. Note the different way of introducing and closing such a letter. Another possible opening would have been **Lieve Heleen**. Another way of closing might have been **Groetjes** – though this would be rather less intimate! Note two new items of vocabulary: **in tijden niet meer** = not for ages; **te gek** = brilliant; great.

Beste Heleen,

Even een briefje om je te laten weten dat ik gisteren een fijne avond heb gehad. Ik vond het concert prachtig en ik heb in tijden niet meer zo met iemand gelachen. Ik hoop dat jij het net zo leuk hebt gevonden als ik. Misschien kunnen we snel weer iets afspreken; dat zou ik te gek vinden.

Liefs,
Jos.

## *Oefeningen*

**73** *Combine the following pairs of sentences by forming conditional sentences. In each case, introduce the conditional sentence with the word given in brackets. Remember to use the correct word order in both the subclause and the main clause! The first one has been done for you as an example.*

1 Ik heb tijd. Ik ga naar de winkels. (*als*)
*Als ik tijd heb, ga ik naar de winkels.*
2 De rok is niet te duur. Je moet hem kopen. (*als*)
3 De zon schijnt. Ik ga geen wandeling maken. (*tenzij*)
4 U betaalt niet op tijd. De auto wordt teruggenomen. (*indien*)
5 Je moet veel brieven schrijven. Het is een goed idee een tekstverwerker te kopen. (*als*)
6 Je kunt niet gelukkig zijn. Je bent getrouwd. (*tenzij*)
7 Je kunt niet gelukkig zijn. Je bent getrouwd. (*als*)

**74** *Now translate the sentences in Exercise 73 into English.*

**75** *The following sentences all use the simple past instead of* **zou** + **infinitive**. *Can you expand these constructions to their 'full' form? The first one has been done for you as an example. In each case, you need to 'expand' only the second half of the sentence.*

1 Als ik rijk was geweest, had ik een heel ander leven gehad.
*Als ik rijk was geweest, zou ik een heel ander leven hebben gehad.*
2 Als ze niet zo moe was geweest, was ze naar de disco gegaan.
3 Als hij aardig was, had hij een cadeau voor zijn vrouw gekocht.
4 Als je van me hield, deed je zoiets niet.
5 En als jij van mij hield, liet je me zoiets niet doen!
6 Als het mooi weer was geweest, waren we met de fiets gegaan.

**76** *Now translate the new sentences you have formed in Exercise 75 into English.*

## KENNISMAKING

050 - MAN, ongeb. acad. 50 jr. 1.76 m., aardig uiterl., inspirerend werk, goede baan, humor. Houdt o.a. van film, muziek, lezen, wandelen, reizen, lekker eten en een goed glas wijn. Zon, zee, bergen. Is op zoek naar warme, intelligente, goed uitz. VROUW 40-50 jr., met baan. Br. o. nr. 322920800 bur. v. d. bl.

---

Welke actieve man (±50) wil verwennen en verwend worden door opgew. spont. 48j vr., gesch., 1 thuisw. zoon. Baan op HBO-niveau gezondh.zorg, veel interesses, genoeg vrije tijd. Zou dat samen met een pos. MAN willen doorbrengen. Liefst W. of M. v.h. land. Br. o. nr. 323921480 bur. v. d. bl.

---

Welke vrouw heeft zin om een keer uit te gaan naar bv. theater, concert of restaurant met een aantr. man. Ik ben van acad. nivo, 45j., sportief, veelz. belangst. en houd van een goed gesprek. Een beetje avontuur kan spannend zijn! Leeftijd en uiterlijk is onbelangrijk. Br. o. nr. 322921643 bur. v. d. bl.

---

Spontane j.vr. ongeb. z. kind (31/1.75/sl.) charmant, representatief, humor en stijl, maar ook jeans, zoekt dito GENTLEMAN tot 40 jr. met niveau. Midden-Ned. Heb leuke baan en houd van glas wijn, uit en thuis. Ben zeer benieuwd naar reactie met foto (o.e.r.) Br. o. nr. 328921824 bur. v. d. bl.

---

Man, 28, ac., 020, sterk en vol warmte, intelligent en origineel, gevoelig en geestig, met culturele belangst., zoekt nu GEZELLIN die op hem lijkt. En hoe versiert hij die? Br. o. nr. 328921573 bur. v. d. bl.

---

Wdnr 70+ vitaal, sportief gedrag, in bezit van auto, woonachtig centrum land, zkm gelijk ingestelde dame leeftijd tot 70 jr. met het doel beider leven gezelligheid en ontspanning te verschaffen. Br. o. nr. 321921603 bur. v. d. bl.

---

## Luistertekst

*Listen to the dialogue between a young man and woman. The conversation is about emotions which are not always shared. First, there are a few important words you may not know:* **houden van iemand** = to love someone; **de toekomst** = the future; **horen bij** = belong with/in; **droevig** = sad; **bij elkaar horen** = belong together; **wreed** = cruel; **realistisch** = realistic; **praktisch** = practical; **egocentrisch** = egocentric.

### Je houdt toch van me, nietwaar?

*Jef* Zeg, Anna. Hou je van me? Je houdt toch van me, nietwaar?

*Anna* Ja natuurlijk, lieverd. Dat weet je toch? Waarom vraag je dat?

*Jef* Omdat ik zo vreselijk veel van je hou. Als ik aan de toekomst denk, dan zie ik ons altijd samen. En jij? Hoe zie jij de toekomst?

*Anna* Nou, jij hoort bij mijn toekomstbeeld, maar ik wil ook reizen en verder komen met mijn carrière. Dat hoeft toch geen probleem te zijn liefje? Toe nou! Kijk niet zo droevig. We horen toch bij elkaar?

*Jef* Jazeker. Ik zie ons ergens buiten de stad wonen met twee, drie kindjes . . .

*Anna* Wat ben jij romantisch, schat. Maar vergeet niet dat ik nog niet eens weet of ik wel kinderen wil krijgen.

*Jef* Hoe kun je dat zeggen. Wat ben je wreed!

*Anna* Nee, schat. Ik ben realistisch, praktisch.

*Jef* Egocentrisch.

## Using your spoken Dutch

### 1 Asking for reassurance

You can seek reassurance by means of a straightforward question:

**Houd je van me?** Do you love me?

To reinforce this request, phrase it as a statement, adding **nietwaar** to it, which is equivalent to the English question-tag 'don't you?':

**Je houdt (toch) van me, nietwaar?**
You (do) love me, don't you?

Also the little words **toch** and **wel** give added emphasis.

## 2 Giving reassurance

A straightforward way of giving reassurance is to give an emphatic 'yes': **ja, natuurlijk.**

The most useful word in this context is **toch**. For example:
**Dat weet je toch?** You know that, don't you?

Note that **toch** is used for emphasis. Its equivalent in English is again a tag-question: 'don't you?'. **Toch** is also used in:
**Dat hoeft toch geen probleem te zijn?**
That doesn't have to be a problem, does it?

And again in:
**We horen toch bij elkaar?** We belong together, don't we?

## 3 Terms of endearment

You can get the flavour of these from the English translation:
**lieverd** = darling, **liefje** = sweetheart, **schat(je)** = darling

### *Oefeningen*

77 *Write a short, informal letter replying to the letter in the grammar section, saying you enjoyed last night too, and suggesting another meeting. As this is an open exercise, there is no key at the back of the book.*

**78 Spreekoefening**

*This exercise has been recorded twice – once with a male speaker and once with a female speaker so that you can choose who to have an intimate conversation with!*

*Situation: You have a relationship with the speaker who is upset because you are applying for jobs away from where you both live. Read through the exercise first, then try to respond to the voice on the tape. Finally, listen to the model answer on the tape.*

*Voice* **Blijf je altijd bij me? Je blijft toch altijd bij me nietwaar?**
*You* Give reassurance.
*Voice* **Maar waarom zoek je dan een nieuwe baan?**
*You* Give reassurance that it need not be a problem.
*Voice* **Maar je zou dan in een andere stad of zelfs een ander land kunnen gaan werken?**
*You* Repeat that that's not necessarily a problem.
*Voice* **Wil je dat ik met je meega?**
*You* Say yes, then use a term of endearment!

# Aktie zuinig stoken

**Stook zuinig, spaar het milieu**

**Een aktie van de Zuidhollandse energiebedrijven in samenwerking met de plaatselijke huis-aan-huis-bladen**

STOOKKAART 1992/1993

**EEN BETER MILIEU BEGINT BIJ JEZELF**

**Vul uw kaart in en let op de wedstrijd in de krant**

# Les Negen **Het Milieu**

## Leestekst 1

*The following passage is an extract from a Flemish article comparing the environmental problems in the Netherlands and Flanders. As usual, read it through and then refer to the vocabulary and notes before reading it through again several times.*

### De milieuproblemen van de Lage Landen

De milieuproblemen in Nederland en Vlaanderen zijn, gezien hun zeer gelijkaardige demografische en economische situatie, zeer vergelijkbaar. Dat geldt in de eerste plaats voor de grote, mondiale problemen, zoals het broeikas-effect, de aantasting van de ozonlaag, de uitputting van grondstoffen en energie, enz., waartoe beide landen in vergelijkbare mate bijdragen. Dat geldt, ten tweede, ook voor andere internationaal bekende problemen, zoals de verzuring en de verontreiniging met gevaarlijke stoffen. In Nederland en Vlaanderen zijn, ten derde, ook de problemen op nationaal niveau zeer vergelijkbaar: verontreiniging van het milieu door de uitstoot van stoffen vanuit landbouw, industrie en huishoudens; de produktie van grote hoeveelheden afval; de aantasting van de natuur door de vervuiling, enz.

Als de milieuproblemen in beide landen vergelijkbaar zijn, zou men kunnen verwachten dat ook het milieubesef en het milieubeleid in grote mate overeenkomen. En dit is inderdaad het geval – in grote lijnen tenminste. En dat kan haast niet anders, want de milieuzorg en het streven om de milieubelasting zoveel mogelijk terug te dringen, is niet meer een probleem van individuele landen, maar is een kwestie geworden die steeds meer op Europees niveau aangepakt wordt.

*Woordenschat*

| | |
|---|---|
| **het milieu** | environment |
| **het milieuprobleem** | environmental problem |
| **de Lage Landen** | the Low Countries |
| **gezien** | in view of, given |
| **gelijkaardig** | similar in nature |

| | |
|---|---|
| **demografisch** | demographic |
| **vergelijkbaar** | comparable |
| **mondiaal** | global, worldwide |
| **het broeikas-effect** | greenhouse effect |
| **de aantasting** | erosion; [*here*] depletion |
| **de ozonlaag** | ozone layer |
| **de uitputting** | exhaustion, using up |
| **de grondstof** | raw material; [*here*] natural resource |
| **de energie** | energy |
| **enz. (= enzovoort)** | and so on; etc. |
| **de mate** | degree, extent |
| **bijdragen (tot)** (sep.) | to contribute (to) |
| **bekend** | known, familiar |
| **de verzuring** | acidification |
| **de verontreiniging** | pollution |
| **gevaarlijk** | dangerous, hazardous |
| **de stof** | substance, material |
| **het niveau** | level |
| **de uitstoot** | emission |
| **vanuit** | from |
| **de landbouw** | agriculture, farming |
| **de industrie** | industry |
| **het huishouden** | household |
| **de hoeveelheid** | quantity |
| **het afval** | waste |
| **de vervuiling** | pollution |
| **het milieubesef** | environmental awareness |
| **het milieubeleid** | environmental policy |
| **overeenkomen** (sep.) | to correspond, agree |
| **inderdaad** | indeed |
| **het geval** | case |
| **tenminste** | at least |
| **de milieuzorg** | environmental protection |
| **het streven** | commitment, drive |
| **de milieubelasting** | environmental impact |
| **terugdringen** (sep.) | to reduce, to force down |
| **individueel** | individual |
| **de kwestie** | issue |
| **aanpakken** (sep.) | to tackle, to approach |

## *Uitdrukkingen*

| | |
|---|---|
| **dat geldt voor (gelden)** | that applies to, that holds for |
| **in de eerste plaats** | in the first place |
| **in grote mate** | to a large extent |

| | |
|---|---|
| **in grote lijnen** | in general |
| **dat kan haast niet anders** | it could hardly be otherwise |
| **steeds meer** | more and more; increasingly |

## Kommentaar op Leestekst 1

### 1 *De Lage Landen*

As with the English term 'the Low Countries', this is sometimes used as a generic term for the Netherlands and Belgium.

### 2 *milieuprobleem, milieubesef, milieuzorg, milieubelasting*

Lots of these compound words involving **milieu** have sprung up in Dutch in recent years, indicating the prominence of this topic. Other examples include **milieuvriendelijk**/environment-friendly; **het milieubeheer**/environmental control (environmental management).

Remember that, where the compound word is a noun, the definite article to be used corresponds with the final item in the compound. For example **het milieubesef** but **de milieuzorg**. See also Les 4 if you need to refresh your memory about compounds.

In a similar way to what has happened in English, the suffix –**vriendelijk** (friendly) has also become rather ubiquitous in Dutch in recent years, and is combined with all sorts of words, for example **gebruikersvriendelijk**/user-friendly; **onderhoudsvriendelijk**/maintenance-friendly (i.e. low maintenance), etc.

### 3 *bijdragen (tot)*

Using this verb requires a little care, since it is both separable and is followed by a fixed preposition (**tot**). In the infinitive this presents no problem:

**tot iets bijdragen** to contribute to something

Similarly, its use in compound tenses is relatively straightforward:

(i) **Het land heeft er niets toe bijgedragen.**
The country didn't contribute anything (to it).

In the present and simple past tenses, however, both the prefix **bij** and the preposition will be separated from the verb:

(ii) **Het droeg er niets toe bij.**
It didn't contribute anything (to it).

Notice in these two examples that **tot** has changed to **toe**. This always happens when the preposition **tot** is combined with **er** (or **daar** or **hier**); it behaves in the same way as **met**, which changes to **mee** in the same circumstances.

The same change takes place when **tot** is combined with a relative pronoun. There is an example of this in Leestekst 1:

**. . . de uitputting van energie, waartoe beide landen in vergelijkbare mate bijdragen.**
. . . the exhaustion of energy, to which both countries contribute to a comparable extent.

See Les 3, Grammatica, for more on combining relative pronouns with prepositions.

(iii) **Het gebruik van loodvrije benzine draagt bij tot een schoon milieu.**
The use of lead-free petrol contributes to a clean environment.

Note in this example that the suffix **bij**, rather than being placed at the end of the sentence (which would be strictly correct), is placed immediately after the main part of the verb, **draagt**. This often happens where the phrase which comes between a separable verb and its suffix would be long enough potentially to cause confusion. For example:

**De hereniging van Oost- en West-Duitsland draagt tot het ideaal van een verenigd Europa na 1993 bij.**

would be easier to read thus:

**De hereniging van Oost- en West-Duitsland draagt bij tot het ideaal van een verenigd Europa na 1993.**

The English rendering is the same in both cases:

The reunification of East and West Germany contributes to the ideal of a united Europe after 1993.

See also the grammar section in this lesson.

### *Oefeningen bij Leestekst 1*

**79** *Say whether the following statements about Leestekst 1 are true or false.*

1 De milieuproblemen in Vlaanderen lijken veel op die in Nederland.
2 Zowel Nederland als Vlaanderen dragen bij tot de mondiale milieuproblemen.
3 Het broeikas-effect is een nationaal probleem in Nederland en Vlaanderen.
4 Het milieu in Nederland wordt meer verontreinigd door de landbouw dan in Vlaanderen.
5 Het milieubeleid in Nederland komt min of meer overeen met het beleid in Vlaanderen.
6 De problemen van de milieuvervuiling worden steeds meer op internationaal niveau aangepakt.

**80** *Read through the phrases at the end of the vocabulary list again and look at how they are used in the text. Then fill in the gaps in the sentences below, using one of these phrases in each case. Each phrase is used only once.* ***Voor een examen slagen*** *= to pass an exam.*

1 Vroeger bleven de meeste mensen thuis tijdens de vakantie. Maar tegenwoordig gaan _____ mensen naar het buitenland.
2 Ik ga die trui niet kopen. _____ is hij te duur, en in de tweede plaats vind ik de kleur niet zo mooi.
3 Volgens mij draagt de landbouw _____ bij tot de verontreiniging van het milieu.
4 De minister gaf geen details, maar beschreef zijn beleid _____ .
Hier mag niemand roken. _____ iedereen, er zijn geen uitzonderingen.
6 'Voel je je gelukkig?' 'Ja, _____ , ik ben voor mijn examen geslaagd!'

## Leestekst 2

*The text below forms part of a folder delivered to households in the province of South Holland. The aim is to encourage people to save energy. As this is an authentic text produced for ordinary people, the vocabulary in it is not technical, but refers to everyday objects around the house. If you don't find a word in the vocabulary list, look in the notes, as they deal mainly with aspects of vocabulary, too. Remember, you have reached a level of Dutch where you need to increase your vocabulary. The best way to do this is to read so that you encounter the new words from this book in other contexts. If you can manage a trip to Holland or Belgium, pick up all the free papers and brochures you can find and study them when you get home.*

### Tips voor energiebesparing

- **Laat verlichting niet onnodig branden en vervang gloeilampen die veel branden door spaarlampen.**
- **Zet de afwasmachine of wasmachine pas aan als hij helemaal gevuld is.**
- **'Isoleer' uzelf, bijvoorbeeld met een trui.**
- **Laat 's winters de zon zoveel mogelijk naar binnen schijnen en sluit 's avonds de gordijnen.**
- **Laat de gordijnen bij cv-radiatoren tot op de vensterbank hangen en laat deuren niet onnodig openstaan.**
- **Draai de radiatoren dicht in ruimten waar u geen warmte nodig hebt (houd wel rekening met bevriezingsgevaar).**
- **Zet de thermostaat een graadje lager, dat scheelt u circa 7% op uw verwarmingskosten. En zet hem een uurtje voor het slapen gaan 5 à 6 graden lager (bij vorst niet lager dan 12 graden!).**
- **Bevestig tochtstrips in raam- en deursponningen.**
- **Isoleer cv-leidingen in ruimten die u niet wenst te verwarmen.**
- **Verwarmingstoestellen en warm-water-apparatuur die regelmatig worden onderhouden, gaan langer mee en verbruiken minder energie.**
- **Let bij aanschaf van toestellen en apparaten ook op het energieverbruik.**

**Uw energiebedrijf. Royaal met zuinige adviezen.**

## *Woordenschat*

| | |
|---|---|
| **de aktie** | campaign |
| **zuinig** | thrifty, frugal |
| **stoken** | to heat (a house) |
| **sparen** | to save |
| **het energiebedrijf** | energy (i.e. gas/electricity) company |
| **de energiebesparing** | saving energy |
| **de verlichting** | lighting, lights |
| **onnodig** | unnecessary/ily |
| **branden** | to burn [*here*: to be on] |
| **vervangen** | to replace |
| **de gloeilamp** | light bulb |
| **de spaarlamp** | energy-saving bulb |
| **de wasmachine** | washing machine |
| **de afwasmachine** | dishwasher |
| **isoleren** | insulate |
| **cv-radiator** | (central heating) radiator |
| **de vensterbank** | window sill |
| **het bevriezingsgevaar** | risk of frozen pipes |
| **de verwarmingskosten** | heating costs |
| **de vorst** | frost |
| **bevestigen** | to fix |
| **de tochtstrip** | draught excluder |
| **de sponning** | frame |
| **de cv-leiding** | central heating pipe |
| **verwarmen** | to heat |
| **onderhouden** | to maintain |
| **verbruiken** | to use, consume |
| **de aanschaf** | purchase |

## *Uitdrukkingen*

| | |
|---|---|
| **in samenwerking met** | in co-operation with |
| **de plaatselijke huis-aan-huis bladen** | local free papers |
| **tot op** | as far as |
| **rekening houden met iets** | to take something into account |
| **iets lager zetten** | to turn something down |
| **dat scheelt u 7%** | that will make a 7% difference (for you) |
| **langer meegaan** | to last longer |

## Kommentaar op Leestekst 2

### 1 *'s winters*

You will already have come across this construction with times of day, for example:

**'s morgens/'s ochtends** in the morning
**'s avonds** in the evening.

It can also be used with **winter** and **zomer**, and the days of the week. For example:

**'s winters** in the winter
**'s zaterdags** on Saturdays

### 2 Commands

These were dealt with in *Dutch in Three Months* §20. The 'command form' consists of the stem of the verb. Because Leestekst 2 wants to spur readers on to action, it uses these commands all the time. For example:

**vervang gloeilampen** replace bulbs
**isoleer cv-leidingen** insulate central heating pipes

There is no subject when the verb is in command mode, so the sentence always starts with the verb. It is worth noting the word order when separable verbs are used:

***zet* de afwasmachine pas *aan* als hij gevuld is**
don't switch the dishwasher on until it's full

The separable prefix is normally found at the end of the sentence or clause. For exceptions to this, see the grammar section in this lesson.

### 3 *laten* + infinitive

It is interesting to note the various ways this construction is translated into English.

- by 'leave' + adverb/adjective
  ***laat* verlichting niet onnodig *branden***
  don't *leave* the lights *on* unnecessarily
  ***laat* deuren niet onnodig *openstaan***
  don't *leave* doors *open* unnecessarily

- by 'let' + infinitive
  ***laat* 's winters de zon naar binnen *schijnen***
  *let* the sun *shine* in in the winter
- by 'see that' + verb
  ***laat* de gordijnen tot op de vensterbank *hangen***
  *see that* the curtains *hang* right down to the window sill

It should be mentioned here that the Dutch are not fond of curtains. Even if a window has curtains, they are frequently left open at night, and some people have curtains that cover only part of the window.

## 4 *toestel, apparaat* and *apparatuur*

**Toestel** and **apparaat** both refer to a type of object – a mechanical device or a 'domestic appliance'. You find them most frequently as the second element of a compound noun with the first element specifying the function. For example:

**het verwarmingstoestel** heater/boiler
**het scheerapparaat** shaver

Note that in English, '-er' is simply added to the verb denoting the function. The Dutch noun **de apparatuur** refers to a set of appliances or a system, such as **warm-water-apparatuur** 'hot water system'.

**Toestel** has a specific meaning when used after a telephone number: it means an extension.

## 5 How to 'switch on' and 'switch off' in Dutch

There are various ways of saying 'switch/turn on/off' in Dutch. In order to choose the right verb, you need to know which verb is used with which object. This list below gives you the most useful combinations. Note that all these verbs are **separable** in Dutch. The prefixes **aan-** and **open-** are used where English has 'on'.

The prefixes **af-**, **dicht-** and **uit-** are used for 'off'.

- **aanzetten [tv, radio, computer, wasmachine, afwasmachine]** = to turn/switch on
- **afzetten [radio, motor]** = turn/switch off
- **uitzetten [tv, computer, gas]** = turn/switch off
- **aandoen [licht, radio]** = turn/switch on

- **uitdoen [licht, gas]** = turn/switch off
- **opendraaien [radiator, gas, water]** = turn on
- **dichtdraaien [radiator, gas, water]** = turn off

### *Oefening bij Leestekst 2*

**81** *The text contains 15 energy-saving tips. List them all in English.*

## GRAMMATICA

### More about word order

It is time to learn an exception to a rule which you probably learnt some time ago. This exception concerns the position of separable prefixes, past participles and infinitives in main clauses and all verbal elements in subclauses. It also affects clauses of the type **om** + **te** + infinitive.

### 1 Main clauses

The basic rule for main clause word order is that the finite verb is the second item in the sentence and all other verbal elements – i.e. separable prefixes, past participles and infinitives – are placed at the end of the clause. See *Dutch in Three Months* §30b, §42b, §48a, and Les 1, Grammatica.

- ***Draai* de radiatoren in ongebruikte kamers *dicht*.**
  Turn off the radiators in unused rooms.
- **Ik *heb* al op deze vraag antwoord *gegeven*.**
  I have already given an answer to this question.
- **Ik *wil* u graag op onze receptie *uitnodigen*.**
  I would like to invite you to our reception.

Note that everything else in the sentence is sandwiched between the finite verb and the other verbal elements. Although this word order is presented as a hard-and-fast rule while learners get used to an unfamiliar sentence pattern, an advanced learner needs to know the exception to the rule: **a preposition phrase can 'break out' of the sandwich construction and take up final position**. A preposition phrase consists of preposition + noun. It has an adverbial function. See Les 7, Grammatica §2. The three examples given above all have an alternative word order:

- **Draai de radiatoren dicht in ongebruikte kamers.**
- **Ik heb al antwoord gegeven op deze vraag.**
- **Ik wil u graag uitnodigen op onze receptie.**

### 2 Subclauses

In these clauses, all the verbal elements including the finite verb are grouped in final position:

**Je weet dat ik al op deze vraag antwoord heb gegeven.**
You know I have already given an answer to that question.

The alternative form of this sentence is:

**Je weet dat ik al antwoord heb gegeven op deze vraag.**

The preposition phrase **op deze vraag** is now in final position. So in subclauses, too, a preposition phrase can break through the 'normal' word order and come after the verb.

### 3 The construction '*om* + *te* + infinitive'

Here we have the same exception to the general rule that the infinitive is in final position: a preposition phrase can again be placed after the verb. For example:

**Wij doen veel om de milieuproblemen op zowel mondiaal als nationaal niveau aan te pakken.**
We are doing a lot to tackle environmental problems on both a global and a national level.

Alternatively:

**We doen veel om de milieuproblemen aan te pakken op zowel mondiaal als nationaal niveau.**

### *Oefeningen*

**82** *There are many examples of the sentence construction described in this lesson's grammar section in the Luistertekst which follows. Read through the text (This will help you understand it when you come to listen, as well.) and highlight all the examples of prepositional phrases which have broken through the normal word order. Remember that* ***om*** *in the construction* ***om*** *+* ***te*** *+ infinitive can be omitted.*

**83** *The examples in the text have the preposition phrase at the end of the clause or sentence. Now rearrange those sentences so that the verbal element is at the end.*

# Luistertekst

*The following text is a speech given by a company director extolling the virtues of his company when it comes to looking after the environment. Most of the vocabulary will be familiar to you from Leestekst 1 and Leestekst 2, though there is also a small amount of new vocabulary. Notice also that there are a number of new combinations with **milieu**.*

*Woordenschat*

| | |
|---|---|
| **de directeur** | managing director |
| **in het kort** | briefly, in brief |
| **ademen** | to breathe |
| **installeren** | to install |
| **uitvoeren** (sep.) | to carry out, to implement |
| **oplossen** (sep.) | to solve |
| **de maatregel** | measure, step |
| **recycleren** | to recycle |
| **een bijdrage leveren** | make a contribution |

## Dames en Heren . . .

Het is mij een bijzonder groot genoegen u allemaal van harte welkom te mogen heten op deze belangrijke dag, voor de opening van ons nieuwe 'milieukantoor'.

Als directeur van een groot bedrijf hoor ik vaak de vraag: 'Hoe ziet uw milieubeleid er uit?' Ik zal proberen hier in het kort antwoord te geven op deze vraag.

Wij vinden dat de Lage Landen al vervuild genoeg zijn. We lezen bijna iedere dag hoe de ozonlaag steeds meer wordt aangetast; onze bossen worden verzuurd, onze steden zijn vervuild, onze kinderen moeten verontreinigde lucht ademen. Maar wij geloven niet dat 'de industrie' hier alleen voor verantwoordelijk is. De landbouw, huishoudens met hun afval, het gebruik van de auto – ze dragen allemaal bij tot de huidige problemen op milieugebied.

Maar wat doen wij? Vorig jaar hebben wij een speciaal milieuteam geïnstalleerd, dat verantwoordelijk is voor het uitvoeren van ons milieubeleid; en dat team is heel actief geweest . . .

. . . Concluderend, dames en heren, hoop ik dat ik u heb laten zien dat wij, 'de industrie', toch veel doen om de milieuproblemen aan te pakken op zowel mondiaal als nationaal niveau. Wij alleen kunnen het probleem niet oplossen. Maar met ons constante streven om de belasting van het milieu zoveel mogelijk terug te dringen via de milieumaatregelen die ik beschreven heb, kunnen wij een bijdrage leveren tot een milieu dat gezonder is voor ons allemaal.

En nu, dames en heren, wil ik u graag uitnodigen voor onze receptie, waar u van een lekker glas bier of wijn kunt genieten – uit gerecycleerde glazen, natuurlijk.

Ik dank u.

## Windmolens hebben wind mee

De Vereniging ODE (Organisatie voor duurzame energie) heeft eind november vorig jaar haar dertigste windmolen in gebruik genomen. Jaarlijks produceren deze dertig (moderne) windmolens 7 miljoen kWh schone elektriciteit die wordt verkocht aan de energiebedrijven. Dit jaar hoopt de vereniging tot 38 à 40 geplaatste molens te komen, onder meer door stijgingen van de 'normale' energieprijzen. De molens worden betaald uit leningen van leden die met een bescheiden rente in 10 jaar worden terugbetaald. Inlichtingen bij ODE, telefoon 030 - 769 224/769 225.

# Using your spoken Dutch

## 1 Welcoming someone

You may never need to make a speech in Dutch, but there may be occasions when you will want to extend a welcome.

In a formal situation, such as in this speech, the expression **iemand welkom heten** is often used. This is equivalent to English 'to bid someone welcome'.

Phrases such as **van harte** or **hartelijk** (literally 'from the heart' and 'hearty') turn the welcome into a warm one:

> **U bent hartelijk welkom hier.**
> You're very welcome here.
>
> **Ik heet u van harte welkom.**
> May I offer you a (warm, cordial) welcome.

A more general formula, which you will see if you travel into the Netherlands or Flanders by road, is:

> **Welkom in Vlaanderen.**
> **Welkom in Nederland.**

In very formal situations, as in the speech above, the formality is enhanced by the complexity and length of the sentence:

> **Het is voor mij een bijzonder groot genoegen u allemaal van harte welkom te mogen heten . . .**
> It is a particularly great pleasure for me to be able to extend a warm welcome to you all . . .

This use of large numbers of words to express fairly simple ideas, and the inclusion of modal auxiliaries such as **mogen**, are typical of formal language in general in Dutch.

## 2 Expressing pleasure

The speech illustrates a formal way of expressing pleasure in Dutch, which is a typical opening line in a speech:

> **Het is mij een bijzonder groot genoegen . . .**
> It is a very great pleasure for me . . .

Another formal way of expressing pleasure, particularly when bringing good news (See Les 4), is **Ik heb het genoegen**:

**Ik heb het genoegen u mede te delen dat u voor uw examen geslaagd bent.**
I have pleasure in informing you that you have passed your examination.

The following are some less formal ways of expressing pleasure in Dutch:

**Het doet me plezier/genoegen (te horen dat . . . )**
I'm pleased (to hear that . . . )

**Zo mag ik het horen!**
That's what I like to hear!

**Wat leuk!**
Great!

**Geweldig!**
Fantastic!

## *Oefeningen*

**84** *Translate the following sentences into Dutch.*

1 Pollution is a global problem.
2 Every country must contribute to solving the environmental problems.
3 With our environmental policy we will tackle the depletion of the ozone layer and the greenhouse effect.
4 The use of energy-saving bulbs saves money and is better for the environment.
5 Our central heating system is maintained regularly.
6 When it's warm we turn off some of the radiators.
7 Welcome to our town.
8 I'm pleased to see you here.

**85** *See if you can work out the verbs from which the following nouns are derived. Then give the English meaning of the verbs.*

1 de aantasting
2 de uitputting
3 de bijdrage
4 de verzuring
5 de uitstoot

→

6 de vervuiling
7 het besef
8 de belasting
9 de aanpak
10 de besparing
11 de verlichting
12 de bevestiging
13 het verbruik
14 de aanschaf
15 de oplossing

**86 Spreekoefening**

*Imagine you have been asked to make a short, formal speech to a group of visitors about present-day environmental problems. You can choose the context yourself: you might want to imagine you work for a company and are defending its environmental policy; or you might want simply to say what you see as the main problems facing your town, country or the world. Your speech, like the Luistertekst, should consist of three main parts:*

– *a welcome*
– *the main body of the speech*
– *a conclusion.*

*Make your speech short, about 150 to 250 words long. Then deliver it! You may record it if you wish, either onto the cassette supplied with the book (if you have this) or onto a blank cassette.*

De **O.L.V.-kerk** en haar slanke toren (123 m).

# Les Tien **Antwerpen en Amsterdam**

## Leestekst 1

*The following text is taken from a leaflet extolling the delights of the Flemish city of Antwerp.*

Antwerpen: een ideale bestemming voor een opwindend of ontspannend bezoek als u maar een paar dagen heeft en even iets anders wilt. Maar ook ideaal als u wat meer tijd heeft. Stad van de schilder Rubens. Vierde havenstad ter wereld. Een stad met een middeleeuws centrum en een rijk verleden. Maar ook een stad van vandaag. Het belangrijkste diamantcentrum in de wereld. En een stad die synoniem is met het begrip gezelligheid, met zijn honderden oude, sfeervolle cafés en restaurants, zijn drukke markten en zijn beroemde winkelstraten als de Keyzerlei.

Natuurlijk wilt u ook even een wandeling maken door de oude stad. En waar anders kan die beginnen dan op de Grote Markt? U wilt toch niet beweren dat het 16e-eeuwse Stadhuis en de beroemde gildehuizen niet de moeite waard zijn . . . Vanaf de Grote Markt is het leuk wandelen naar de mooie Onze Lieve Vrouwkathedraal, met als hoogtepunt zijn met 'stenen kantwerk' versierde toren. Ook binnen is het een en al pracht en praal. Daarna misschien een bezoek aan het Rubenshuis (als u erheen loopt, gaat u dan via de 'voorname' Meir). En vergeet u niet even de tuin van het Rubenshuis in te lopen. Een oase van rust en stilte middenin een opwindende stad die zo lekker dichtbij is en toch, op een zo aangename wijze, zo'n totaal andere, eigen sfeer ademt . . .

*Woordenschat*

| | |
|---|---|
| **opwindend** | exciting |
| **ontspannend** | relaxing |
| **maar** | only |
| **de schilder** | painter |
| **de havenstad** | port |
| **middeleeuws** | medieval |
| **het verleden** | the past |
| **het diamantcentrum** | diamond centre |

| | |
|---|---|
| **synoniem (met)** | synonymous (with) |
| **het begrip** | concept, idea |
| **sfeervol** | atmospheric |
| **druk** | busy |
| **beroemd** | famous |
| **de winkelstraat** | shopping street |
| **beweren** | to claim, assert |
| **16e (= zestiende)** | sixteenth |
| **de eeuw** | century |
| **het gildehuis** | guild-hall |
| **het hoogtepunt** | highlight, high point |
| **versierd (versieren)** | decorated, ornamented |
| **erheen (= ernaartoe)** | to it |
| **voornaam** | posh |
| **inlopen** (sep.) | to walk into, step into |
| **de oase** | oasis |
| **de stilte** | silence |
| **middenin** | in the middle of |
| **aangenaam** | pleasant |
| **de wijze** | way, manner |
| **de sfeer** | ambiance, atmosphere |

### *Uitdrukkingen*

| | |
|---|---|
| **even iets anders** | something a bit different |
| **wat meer tijd** | rather more time |
| **ter wereld** | in the world |
| **de moeite waard** | worth the trouble, worthwhile |
| **waar anders** | where else |
| **'stenen kantwerk'** | 'stone lacework' |
| **een en al** | from top to bottom |
| **pracht en praal** | pomp and splendour |

34 ◄ ANTWERPEN: OUDE BINNENSTAD

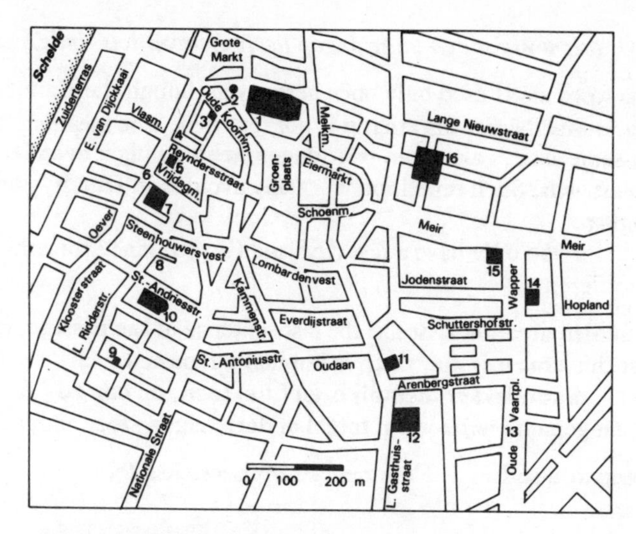


**Antwerpen – wandeling 2 (zuidkant)**

1 Onze-Lieve-Vrouwekathedraal
2 Put Quinten Matsijs
3 Huis de Cluysse
4 Vlaeykensgang
5 Woonhuis Jacob Jordaens
6 Pagaddertoren
7 Museum Plantin-Moretus
8 Mazengang
9 Calloeisgang
10 St.-Andrieskerk
11 Museum Mayer van den Berg
12 Maagdenhuis
13 Vogelenmarkt
14 Rubenshuis
15 Koninklijk Paleis
16 Handelsbeurs
17 Groenplaats

# Kommentaar op Leestekst 1

## Style

This text is taken from a tourist brochure, and the style of the language reflects this. Notice how the reader is addressed directly – though still with the formal pronoun **u** (. . . **als u maar een paar dagen heeft** . . .). Notice also the 'economy' of the text, in which many of the sentences are 'incomplete', with missing verbs or subjects, etc. For example:

> **[Het is de] Stad van de schilder Rubens. [Het is de] Vierde havenstad ter wereld.**

This technique is often used where fairly large amounts of information have to be given concisely.

**1 *. . .als u maar een paar dagen heeft en even iets anders wilt.***

The word **als** is used only once here, even though there are two subclauses. Notice also that **u** is not repeated. The meaning is the same as: **. . . als u een paar dagen heeft en als u even iets anders wilt.** Such repetition is usually avoided in Dutch – just as in English:

. . . if you only have a few days and (if you) fancy something different.

A similar situation arises in the last sentence of the passage, except that this time it is **die** which is implicitly repeated:

**. . . die zo lekker dichtbij is en (*die*) toch, op een zo aangename wijze, zo'n totaal andere, eigen sfeer ademt.**

Compare also Les 8, Kommentaar op Leestekst 2 §3.

**2 *Vierde havenstad ter wereld***

'The fourth (largest) port in the world.'

Where English normally needs to add the word 'largest', this is not necessary in Dutch.

**3 *gezelligheid***

This word, and **gezellig** from which it derives, is particularly difficult to translate into English. It represents an indefinable 'something', an 'atmosphere' which is very difficult to describe but very easy to recognize. Words in English which come closest are 'cosiness', 'warmth', 'conviviality', etc.

**4 *. . . zijn beroemde winkelstraten als de Keyzerlei***

Normally we would expect to see **zoals** here rather than **als**, since the meaning is 'such as'.

**5 *Vanaf de Grote Markt is het leuk wandelen***

This is also a sort of 'shorthand' form, which saves having to write . . . **is het leuk om naar de mooie Onze Lieve Vrouwkathedraal te wandelen.**

### 6 *. . . zijn met 'stenen kantwerk' versierde toren*

This is another example of a 'compressed' adjectival phrase placed in front of the noun. (See also Les 7, Leestekst 2.)

### 7 *Ook binnen is het een en al pracht en praal*

The word **een** is pronounced stressed in the expression **een en al,** and could in fact be written with accents: **één en al** (see Les 8, Kommentaar op Leestekst 1).

It is not easy to translate the phrase out of context. Here it could be rendered by something like 'from top to bottom'. In other contexts it can be translated in various ways:

**Het veld is een en al modder** The field is nothing but mud. [or: The field is a sea of mud, etc.]
**Ze was een en al vriendelijkheid** She was kindness itself.
**Ik ben een en al oor.** I'm all ears.

### 8 *. . . die . . . eigen sfeer ademt*

The verb **uitademen**/to breathe out, to exude, would probably be more usual here.

### *Oefeningen bij Leestekst 1*

**87** *Say whether the following sentences about Leestekst 1 are true or false. Then rephrase those sentences you have marked as false in such a way that they give a correct version of Leestekst 1. Sometimes all that will be necessary is to add or leave out a word (**niet**, for example). Don't simply copy out sentences from the passage.*

1. Als je een paar ontspannende dagen wilt doorbrengen, moet je niet naar Antwerpen gaan.
2. Antwerpen is alleen goed voor een kort bezoek.
3. Antwerpen is een van de grootste havensteden in de wereld.
4. De Keyzerlei is een bekende winkelstraat in Antwerpen.
5. Als je een wandeling door de oude stad wilt maken, kun je het beste op de Grote Markt beginnen.
6. De Onze Lieve Vrouwkathedraal heeft een toren met een hoog punt.
7. De kathedraal is van binnen niet zo mooi.
8. Het is onmogelijk rust te vinden in deze drukke stad.

**88** *Rearrange the following sentences so that they form a summary of Leestekst 1.*

1. Hoewel een heel oude stad, blijft Antwerpen toch een stad van vandaag.
2. De stad is heel belangrijk voor de diamanthandel (***handel*** = *trade*).
3. Er zijn ook drukke markten en beroemde winkelstraten.
4. Antwerpen is de perfecte stad voor zowel kortere als langere bezoeken.
5. De Meir is een van de voornaamste straten van Antwerpen.
6. Hier vind je een rustpunt middenin de drukke stad.
7. Het heeft een van de grootste havens ter wereld, en is de stad waar Rubens geboren is.
8. Dichtbij de Grote Markt staat de prachtige Onze Lieve Vrouwkathedraal.
9. Het is een zeer gezellige stad, met veel oude cafés en restaurants.
10. Als je die weg volgt, kom je bij het Rubenshuis.

**89** *Now translate the rearranged sentences from Exercise 2 to form an English summary of the passage.*

# Leestekst 2

*This text comes from the magazine '**Binnenstad**', or 'Inner City', which is published by the '**Vereniging Vrienden van de Amsterdamse Binnenstad**' (Association of Friends of the Amsterdam Inner City). It is about the Dutch equivalent of Punch and Judy.*

## De poppenkast op de Dam

Generaties lang is de poppenkast op de Dam een begrip geweest voor kleine Amsterdammers. Jan Klaassen trad hier voor het eerst op in 1886. Toen was A.A. Hemert zijn baas. Enkele jaren later kwam de Italiaan Cabalt op – of liever achter – het toneel en dat werd een traditie van vader op zoon. De historie gaat nog verder terug, naar een ontslagen trompetter uit het leger van stadhouder-koning Willem III die Jan Klaassen heette, in de Jordaan woonde, in luidkeelse onmin leefde met zijn vrouw Katrijn, met als dreigende figuren op de achtergrond de Dood van Pierlala en de huisbaas, een verhaal waarvan men in Italië zou zeggen: 'als het niet waar is, dan is het tenminste goed verzonnen'. Voor de huidige generatie ouders en grootouders is het belangrijker dat de poppenkast er nog steeds is, op zijn eigen plek op de Dam, en dat er kinderen naar zitten te kijken. Even geen televisie, maar de echte handpoppen in een geïmproviseerd toneelstuk, met een echte man die verborgen in zijn kast de verschillende stemmen voortbrengt. Moge het nog lang zó blijven!

*Woordenschat*

| | |
|---|---|
| **de poppenkast** | Punch and Judy booth |
| **de Dam** | Dam Square (See map) |
| **het begrip** | concept |
| **de Amsterdammer** | person from Amsterdam (See Grammar) |
| **optreden** (sep.) | to appear, perform |
| **het toneel** | stage |
| **ontslagen** | discharged |
| **de trompetter** | trumpeter |
| **het leger** | army |
| **de Jordaan** | part of old Amsterdam (See map) |
| **luidkeels** | noisy |
| **de onmin** | discord |
| **dreigend** | threatening |
| **verzonnen** | made up, invented |

| | |
|---|---|
| **huidig** | modern, of today |
| **echt** | real |
| **de handpop** | glove puppet |
| **geïmproviseerd** | improvised |
| **het toneelstuk** | play |
| **verborgen** | hidden |
| **voortbrengen** (sep.) | to produce |

*Uitdrukkingen*

| | |
|---|---|
| **generaties lang** | for generations |
| **voor het eerst** | for the first time |
| **van vader op zoon** | passed on from father to son |
| **in onmin leven met** | to be always quarrelling with |
| **op de achtergrond** | in the background |
| **nog steeds** | still |

## Kommentaar op Leestekst 2

### 1 *De Amsterdamse Binnenstad*

**De Dam** is the square at the heart of Amsterdam. It is overlooked by **Het Paleis op de Dam** (the palace on Dam Square), which is used for state and official occasions. **De Dam** is a place where Amsterdammers and tourists congregate.

**De Jordaan** was one of the poorer areas which has recently become rather fashionable. Although the houses are not grand like those on the famous canals – **de Herengracht, Singel, Keizersgracht, Prinsengracht** – they are old and full of character.

### 2 *De poppenkast op de Dam* – Punch and Judy on Dam Square

The term **poppenkast** refers to the actual booth used for the show. The Punch and Judy man is simply called **de baas**. The Dutch equivalent of Mr Punch is **Jan Klaassen** and his wife is **Katrijn**. There are two sinister figures in the background in the Dutch version: **de Dood van Pierlala** (the grim reaper) and **de huisbaas** (the landlord).

### 3 *Jan Klaassen trad hier voor het eerst op in 1886*

Note the word order in this sentence. The preposition phrase **in**

**1886** is placed at the end of the sentence instead of the separable prefix **op**. (See Les 9, Grammatica §1.) The alternative order for this sentence is **Jan Klaassen trad hier in 1886 voor het eerst op**.

**4** ***Willem III*** **(1650–1702)**

The William referred to here is King William III of Great Britain (1699–1702), who was also **Stadhouder** (stadholder), i.e. ruler of The Netherlands, 1672–1702.

**5** ***... die Jan Klaassen heette, in de Jordaan woonde, in luidkeelse onmin leefde met zijn vrouw ...***

There are three relative clauses here, but **die** is used only once. The sentence could also be written:

**... die Jan Klaassen heette, die in de Jordaan woonde, die in luidkeelse onmin leefde met zijn vrouw ...**

Compare also Kommentaar op Leestekst 1 §1.

**6** ***... een verhaal waarvan men in Italië zou zeggen ...***

Note first the relative clause introduced by a preposition. This triggers the construction **waar** + preposition. (See Les 3, Grammatica.) Second, the verb is an example of the conditional tense in Dutch. (See Les 9, Grammatica.) The clause can be translated as 'a story, about which people in Italy would say ...'

**7** ***... en dat er kinderen naar zitten te kijken.***

This clause, like the one before it (**dat de poppenkast er nog steeds is**), is 'dependent' on the main clause, i.e. both describe things which are 'more important for the present generation of parents and grandparents.'

**8** ***Moge het nog lang zó blijven!***

The verb **moge** is a rare example of a subjunctive verb in Dutch. The subjunctive only survives in set expressions like this one: 'May it long remain so!'

***Oefeningen***

**90** *Fill in the gaps in the text below. Each gap should contain one of the expressions from the list of* **uitdrukkingen**. *Alter the form of the expression if necessary.*

'Woon je _____ in de Jordaan? Ik dacht dat je al lang verhuisd was.'

'Ik zal nooit verhuizen. Mijn familie heeft hier _____ gewoond.

'Wanneer kwamen ze hier _____ wonen?'

'Rond 1850. Toen hadden ze een winkel die een traditie _____ werd. Mijn ouders waren de laatste winkeliers, hoewel mijn grootouders altijd _____ stonden. Dat was eigenlijk een beetje lastig, want die twee _____ met elkaar en hadden de hele tijd ruzie, wat niet zo goed voor de zaak was.'

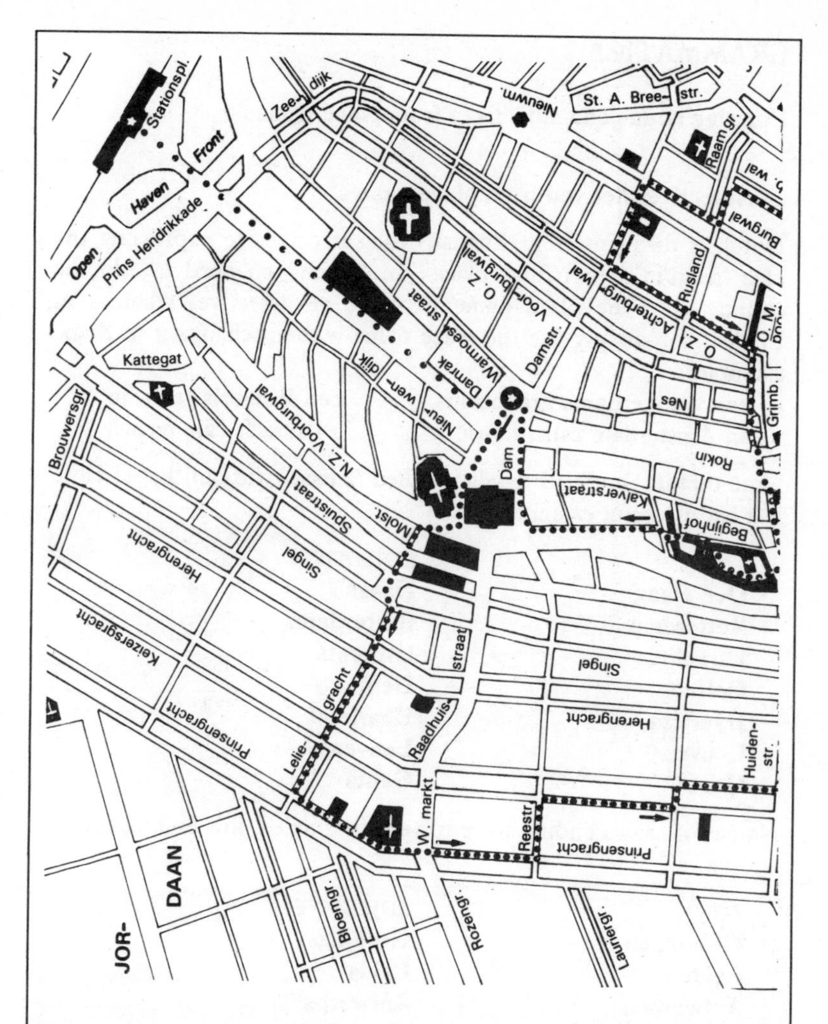


**91** *Write out an itinerary in Dutch for a friend who is also learning Dutch and visiting Amsterdam for the first time. Part of your route may been seen on the map above. The itinerary has been started for you. This is an 'open exercise', so there is no key at the back of the book.*

10.30 uur Vertrek van het Centraal Station. Tram lijn 24 naar *de Dam*. Koffie op een terrasje.
11.15 . . . .

# GRAMMATICA

## Forming nouns and adjectives from place names

### 1 Adjectives derived from place names

Dutch is different from English when it comes to expressing the idea 'from/in a particular place'. In Dutch you need to add the ending -s to the place name to make an adjective, whereas in English you simply use the place name without changing it. Some examples:

| | |
|---|---|
| **een Amsterdams grachthuis** | **een Brussels terrasje** |
| an Amsterdam canal house | a Brussels café terrace |

Note that in Dutch, Brussels is called **Brussel** without the -s! Here is a list of useful examples:

| TOWN | ADJECTIVE |
|---|---|
| **Den Haag** | **Haags** |
| **Rotterdam** | **Rotterdams** |
| **Utrecht** | **Utrechts** |
| **Delft** | **Delfts** |
| **Haarlem** | **Haarlems** |
| **Leuven** | **Leuvens** |
| **Gent** | **Gents** |

Names of towns ending in **-e** or **-en**, first delete this ending before adding **-s**.

| TOWN | ADJECTIVE |
|---|---|
| **Groningen** | **Gronings** |
| **Leiden** | **Leids** |
| **Antwerpen** | **Antwerps** |
| **Brugge** | **Brugs** |

What applies to the names of towns, also applies to the names of provinces:

| PROVINCE | ADJECTIVE |
|---|---|
| **Holland** | **Hollands** |
| **Drente** | **Drents** |
| **Limburg** | **Limburgs** |
| **Brabant** | **Brabants** |

Here are a couple of frequently used exceptions: **Vlaanderen – Vlaams** and **Friesland – Fries.**

These place-name adjectives are just like any other adjective: they can be placed before or after the noun. If they are in front of the noun, they add the ending **-e** according to the rules. (See *Dutch in Three Months* §35.) For example:

| **de Amsterdamse grachten** | **de Antwerpse binnenstad** |
|---|---|
| the Amsterdam canals | the centre of Antwerp |

## 2 Nouns derived from place names

These nouns denote the people from a given town or province. There are always two nouns for each place: one for the inhabitant(s) in general and one specifically for women: **de Amsterdammer** is a 'person or man from Amsterdam', **de Amsterdammers** are 'people from Amsterdam', and **de Amsterdamse** a 'woman from Amsterdam'.

## 3 Feminine nouns

We will look at these first as they are wholly straightforward. They are exactly the same as the inflected place name adjective. Take the adjective from the lists above and add **-e**. For example: **de Brusselse, de Delftse, de Leuvense, de Hollandse, de Limburgse**.

## 4 General nouns

There are three different endings which can be added to the place name: **-er**, **-aar**, and **-enaar**. RULE: add **-aar** if the name ends in **-en** or **-el**. For example: **Antwerpen – Antwerpenaar; Leuven – Leuvenaar; Brussel – Brusselaar**. Add **-enaar** if the name consists of one syllable. For example: **Gent – Gentenaar; Den Haag – Hagenaar; Delft – Delftenaar**. Add **-er** to the rest. For example: **Rotterdam – Rotterdammer; Haarlem – Haarlemmer; Holland – Hollander; Brabant – Brabander; Limburg – Limburger**.

The plural of these nouns is used to refer to all inhabitants, including women. Nouns ending in **-er** simply add **-s** to form the plural – **Amsterdammers** – while those ending in **-aar** and **-enaar** generally add **-s**. You may also find a plural form like **Delftenaren**.

## *Oefeningen*

**92** *Make adjectives and nouns as appropriate from the place names in brackets. Some words you may not know are listed below:*

**het accent** (accent); **de Tweede Wereldoorlog** (the Second World War); **gewend zijn aan** (to be used to); **het blauw** (blue and white china); **het porselein** (china, porcelain).

1. De (Antwerpen) cafés zijn erg gezellig.
2. Sommige (Brussel) spreken Frans en andere (Brussel) spreken Nederlands.
3. Zij sprak met een (Rotterdam) accent.
4. Is zij (Brabant)? Nee, ze is toch (Limburg)?
5. De (Groningen) binnenstad werd in de Tweede Wereldoorlog gebombadeerd.
6. (Amsterdam) zijn aan veel toeristen gewend.
7. (Den Haag) spreken echt heel anders dan (Leuven).
8. De (Antwerp) zijn erg trots op hun stad.
9. Kleine (Amsterdam) houden van de poppenkast op de Dam.
10. (Delft) blauw is een heel bekend soort porselein.

## Luistertekst

*Piet is staying with his friend Kris in Antwerp for a few days, and is anxious to see the city.* **Vooruit dan maar** = let's go; off we go.

### Vooruit dan maar

*Piet* Zeg, Kris, ik ben helemaal uit Amsterdam gekomen, en nu ik hier ben wil ik liever niet de hele dag op jouw kamer koffie zitten drinken. Ik heb maar een paar dagen, en ik wil *nou eens* wat zien van de stad. Kun je mij *misschien* een paar tips geven? Of ga je *soms* mee?

*Kris* Ja, ja, ik ga met je mee. Nu, *even* kijken, wat kunnen we vandaag doen? Ja, weet je wat? Laten we *maar vast* beginnen met een wandeling door de oude stad. Dat is één van de aardigste dingen die je hier kunt doen – als het niet regent, tenminste. Dan zie je al die prachtige zestiende-eeuwse gebouwen van dichtbij. En de kathedraal, natuurlijk. Daarna kunnen we *even* een kijkje nemen in de winkels op de Keyzerlei en de Meir – heb je veel geld bij je?

*Piet* Nee, eigenlijk niet. Maar kijken kost niks, niet waar?

*Kris* Gelijk heb je. Daarna kunnen we *even* het Rubenshuis bezoeken: ook al hou je niet van musea, dàt moet je *toch maar eens* zien.

*Piet* Klinkt leuk, zeg. En daarna *misschien* ergens iets eten?

*Kris* Jazeker. Maar eerst een paar gezellige cafés bezoeken. Daar hebben we er veel van in Antwerpen. Kunnen we lekker op een terrasje gaan zitten.

*Piet* Uitstekend. Ik heb al zoveel gehoord over het Belgische bier, nu wil ik het *eens* proeven.

*Kris* Goed, maar pas op – ons bier is *toch* sterker dan je denkt, hoor.

*Piet* Ach, dat risico neem ik *wel*.

*Kris* Goed, en daarna misschien een lekkere biefstuk met frietjes. Mmm, ik begin al trek te krijgen.

*Piet* Nou, vooruit dan *maar* . . .

## Using your spoken Dutch

### 1 How to convey your mood/attitude to the person you are speaking to

In English, speakers convey their mood by using emphasis and by changing their intonation. In Dutch, speakers do it by adding extra little words to their sentences. You have already seen how one of these words, called 'particles', is used in Les 8, Using your spoken Dutch. Here, the use of **toch** conveys that the speaker's patience is wearing thin.

**Dat weet je toch** You know that

These particles are an essential feature of spoken Dutch, although they can be found in written Dutch as well. As you can see from the example, they are often not translatable into English by means of a vocabulary item. This makes them difficult to learn.

### 2 Strategy for learning particles

This must be a step-by-step process. First, you need to familiarize yourself with these words in use by listening to native speakers if you have the opportunity. The conversation above is designed to introduce you to some of the most important particles, which have been italicized. You will also notice that particles can be used in combination.

Second, you need to start imitating native speakers yourself. It is best to begin by repeating phrases wholesale so that you can develop a feel for what these words add to a sentence.

Third, you should gradually introduce particles into your own speech. You can only really do this with native speakers so that you can see how they react.

### 3 Some useful particles

As the meanings are so difficult to pin down, no translations are given. Instead we try to give you a general idea of what each particle adds to a sentence.

Particles convey a sense of friendship or intimacy.

| | |
|---|---|
| **nou eens** | is used to show the speaker's impatience |
| **misschien/soms** | are used to soften a request |

| | |
|---|---|
| **eens** | conveys a positive attitude |
| **maar vast** | is used for encouragement |
| **maar** | adds a tone of friendliness and is also used to soften a command |
| **even** | is used to soften a suggestion |
| **maar eens** | is used to soften a command |
| **toch** | conveys a warning note |
| **wel** | adds a note of confirmation |

## Useful phrases using particles

| | |
|---|---|
| **Ga je soms mee?** | Are you coming along?/Why don't you come along? |
| **Even kijken.** | Let's see. |
| **Dat moet je maar eens zien.** | You really must see that. |
| **Kom maar.** | Come on. (Used to coax the shy or reluctant.) |
| **Vooruit dan maar.** | Off we go./Let's be off. |

### *Spreekoefening*

**93** *In keeping with the first step in the strategy for learning how to use particles, the conversation has been re-recorded for you with one speaker omitted – Piet. All you have to do is to read out his part.*

**94** *Now do the same again with Kris' part.*

**95** *If you want more practice, use the gaps in the tape to repeat what you have just heard. This time, don't use the book.*

# Key to Exercises

## Lesson 1

### Exercise 1

1, 3, 6, 5, 4, 2, 7, 8.

### Exercise 2

1. The narrator wants to travel from Schiphol to Amsterdam.
2. He has to wait a quarter of an hour for his bus.
3. The bus causes the narrator to think of his mother.
4. His mother preferred to travel by bus rather than by train because it was easier for her.
5. She also didn't like spending money on taxis.
6. He had to take her to the bus in the evening.
7. She was often alone on the bus.
8. When his mother was out of sight, the narrator went into a café.

### Exercise 3

1. handige
2. passagier; bestemming
3. overstappen
4. vertrektijd
5. chauffeur; bestemming

### Exercise 4

1. Dit zijn mijn vrienden.
2. Dat is mijn school.
3. Het is mijn broer.
4. Dat zijn mooie huizen.
5. Wie zijn dat? Het zijn Pieter en Marie.

### Exercise 5

2. Ik bel mijn moeder elke week op.
   Ik heb mijn moeder elke week opgebeld.
3. We nodigen de buren op ons feestje uit.
   We hebben de buren op ons feestje uitgenodigd.

4. Mijn zusje gaat elke zaterdagavond uit.
   Mijn zusje is elke zaterdagavond uitgegaan.
5. Mijn vader staat om zeven uur op.
   Mijn vader is om zeven uur opgestaan.
6. Mijn grootouders komen vanochtend langs.
   Mijn grootouders zijn vanochtend langsgekomen.

### Exercise 6

1. When he saw me, he went away.
2. If I want to travel fast, I go by train.
3. I like travelling by tram because it's quick.
4. When we went into the restaurant, we saw our friends.
5. I'm not going because I'm too tired.

### Exercise 7

1. Morgen ga ik naar school.
2. Overal zagen wij nieuwe gezichten.
3. Dat heeft hij niet gezegd.
4. Geholpen heeft het niet.
5. Mij zullen ze niet geloven.
6. Voordat ik naar huis ga, drink ik nog een kopje thee.
7. Omdat het mooi weer is, gaan we fietsen.
8. Als je genoeg geld hebt, moet je nieuwe schoenen kopen.

### Exercise 8

2. komt . . . aan
3. ging . . . binnen
4. stapte . . . in, stapte . . . uit
5. breekt . . . aan
6. nam . . . mee

## Lesson 2

### Exercise 10

1. true; 2. false; 3. true; 4. false; 5. true; 6. true.

### Exercise 11

1. krijg ik trek
2. van alles
3. Tussen de middag
4. komen . . . over de vloer
5. doen er niet aan.

## Exercise 12

de gehaktbal; de kroket; de kaas; de lever; de ham; de rosbief; knak(worst); de bal.

## Exercise 13

— It was about 500 years ago that Flemish people began to eat vegetables.
— Much earlier, the Romans had introduced many varieties.
— However, they were grown for medicinal purposes in the Middle Ages.
— About 1500 the first vegetable gardens appeared close to towns.
— Cabbage, onions, carrots, peas and beans were grown.
— Potatoes and other vegetables were added much later.
— Fruit was grown everywhere.
— There were also vineyards.
— Flanders is still important for fruit and veg.

## Exercise 14

2. Er ligt een boek op de kast.
3. Er zitten vogels in die bomen.
4. Er staan Brusselse spruitjes in mijn tuin.
5. Er heeft iemand hier gerookt.
7. Zij speelt ermee.
8. Ik sta ernaast.
9. Jij loopt erachter.
10. Jullie zitten ervoor.

## Exercise 15

1. My sister has been at university for three months.
2. Their bus doesn't leave for another half-hour.
3. Have you been here long?
4. No, I've only just come in.
5. They have been growing vegetables for a long time.
6. However, they only began to grow fruit much later/fruit was not grown until much later.

## Exercise 16

1. Ik ging de stad in *om mijn vriend te ontmoeten*.
2. Hij bleef thuis *om zijn huiswerk te maken*.
3. Zij belde op *om te vragen of ik meeging naar het theater*.
4. We deden ons best *om hem te helpen*.
5. Ik kocht bloemen *om haar te danken voor haar vriendelijkheid*.

## Exercise 17

1. Ik probeer Nederlands te leren.
2. Niet lachen!
3. Hij ging naar de winkel om melk te kopen.
4. Vergeet niet naar huis te schrijven.
5. Eerst de tekst lezen voordat je aan de oefening begint.
6. Ze moesten hard werken om hun nieuwe huis te betalen.
7. Je hebt veel te doen.

## Exercise 18

het koken; het invoeren; het ontwikkelen; het bestaan; het ontdekken.

## Exercise 19

2. . . . hij loopt erbuiten.
3. . . . hij ligt eronder.
4. . . . hij staat erboven.
5. . . . zij zijn ertegen.

## Exercise 20

1. Co-ordinating conjunction. Tr.: Shall we eat here or go to a restaurant?
2. Linking word. Tr.: Who's the boss here, you or me?
3. Subordinating conjunction. Tr.: I don't know whether he's already here.
4. Co-ordinating conjunction. Tr.: Do you like the tea or is it too weak?
5. Subordinating conjunction. Tr.: She asked him whether he was a Dutchman.

# Lesson 3

## Exercise 22

1. Acht.
2. Twee.
3. Vier jaar.
4. Omdat ze daar leefden, aten en speelden.
5. Twee jaar.
6. Met een deel ervan zijn ze een pint gaan drinken.

## Exercise 23

eigenaar; herenhuis; verhuren; huisbaas; ruimte; bewoners; waarborg; huurders.

## Exercise 24

After two years, our landlord had had enough. We then all had to get down to work to restore the house to its original condition. With the portion of the damage deposit which we got back, we immediately went out for a beer. The whole square must have heaved an enormous sigh of relief when we left.

## Exercise 25

| | |
|---|---|
| de woonkamer | living room |
| a.s. | next |
| vlakbij | nearby |
| de flat | flat |

## Exercise 26

Het huis heeft een tuin en een garage. Het bevindt zich (staat) dichtbij de autoweg E40. Het huis heeft een hal, living/woonkamer, een volledig ingerichte keuken, drie slaapkamers en een badkamer. Het huis heeft ook centrale verwarming. Het komt vanaf 23 september vrij. U kunt het huis bezoeken op woensdag van 14 tot 19 uur of op zaterdag van 14 tot 17 uur.

## Exercise 27

Elk kind verlangt naar een eigen kamer waarin het slapen, spelen of werken kan. De kamer heeft natuurlijk een tv waarnaar het de hele dag kan kijken en een computer die het met niemand hoeft te delen. Naast een eigen bed liefst een tweede dat voor overnachtende vriendjes gebruikt kan worden. Wat gezellig! Iemand met wie je 's nachts kunt liggen praten. En misschien een werktafel waaraan je ongestoord je huiswerk kunt maken.

## Exercise 28

1. die; 2. wie; 3. dat; 4. die; 5. wie; 6. dat.

## Exercise 29

1. Dit is het werk in de tuin waarmee het buurmeisje helpt. / waar het buurmeisje mee helpt.
2. Dit is de vakantie in Italië waar we zo lang op gewacht hebben. / waarop we zo lang gewacht hebben.
3. Dit zijn de opera's van Mozart waarnaar mijn man graag luistert. / waar mijn man graag naar luistert.
4. Dit is het Franse etenwaar zij erg veel van houdt. / waarvan zij erg veel houdt.
5. Dit zijn de tv-programma's over koken waarnaar ik graag kijk. / waar ik graag naar kijk.

### Exercise 30

a) werkend; staand; liggend; etend; vechtend; slapend
b) een lachend meisje; een slapende hond; een galopperend paard; een vechtende jongen; een spelend kind; een stekend insekt; een brullend dier; een huilende baby

### Exercise 31

1. Subordinating conjunction. Tr.: I was cooking when they came.
2. Adverb. Tr.: They came yesterday, and then they all went out to eat.
3. Subordinating conjunction. Tr.: What did you do when he said that?
4. Adverb. Tr.: He got up too late and then he missed his bus.
5. Subordinating conjunction. Tr: When I was young, I lived in Haarlem.

## Lesson 4

### Exercise 33

1. false; 2. true; 3. true; 4. true; 5. false; 6. true.

### Exercise 34

1. That she expects to lose money because she is not working out her notice.
2. Because he is completely taken aback by her decision to leave so suddenly that she will forfeit some of her salary.
3. He says he will force her to take three months' – even six months' – worth of her salary.
4. He obviously has great respect for her and does not resent her sudden resignation.

### Exercise 35

1. handtekening
2. damesstijl
3. salaris
4. reden
5. tegemoetkoming
6. stap

### Exercise 36

Zeer Geachte Heer,

Het spijt me dat ik gisteren niet zo aardig was tegen u. Ik aanvaard de consequenties van mijn gedrag en vraag u hierbij om ontslag. Ik heb het eigenlijk erg leuk gevonden om met u samen te werken, en ik wil u nog een keer zeggen dat ik spijt heb van wat er gisteren is gebeurd.
Met vriendelijke groeten,

## Exercise 37

Betreft: Vacature management-assistent(e)
Geachte Heer/Mevrouw,

In antwoord op uw advertentie in de krant van 1 april wil ik mij hierbij kandidaat stellen voor de aangeboden vacature van management-assistente.

Ik ben 35 jaar oud en heb zes jaar bij een internationaal bedrijf in Londen gewerkt. Gedurende de eerste drie jaar in Londen heb ik als secretaresse gewerkt, gevolgd door drie jaar als management-assistente. Het spreekt vanzelf dat mijn beheersing van de Engelse taal op hoog niveau ligt. Om familieredenen moest ik onlangs naar Nederland terugkeren.

Ik kan goed met collega's omgaan en ben eraan gewend zelfstandig beslissingen te nemen en ook lange uren te werken als het nodig is.

Ik hoop dat ik u hiermee voldoende informatie gegeven heb, maar ben natuurlijk bereid verdere informatie te verstrekken.

Ik zie uw antwoord met belangstelling tegemoet. Bij voorbaat hartelijk dank,

Hoogachtend,

## Exercise 39

1. Ga zitten.
2. Dank je.
3. Je bent de laatste die ik vandaag ga interviewen.
4. Ben je vanavond thuis?
5. Wil je misschien iets vertellen over je werkervaring?

## Exercise 40

a) tegemoetkomen; uitdrukken; herinneren; aansluiten; opleiden; tekstverwerken.
b) de mededeling; de inrichting; de aanbieding; de voorstelling; de ontdekking; de verwijzing; de reservering.

# Lesson 5

## Exercise 42

2; 4; 5; 6; 1; 3

## Exercise 43

spelen; konsument; produkt; verpakking; herkenbaarheid; kiezen; supermarkt.

## Exercise 44

1. false; 2. false; 3. true; 4. false; 5. false; 6. false; 7. false.

## Exercise 45

| | | |
|---|---|---|
| hij stond | ik sta | staan |
| hij had | ik heb | hebben |
| hij kwam | ik kom | komen |

## Exercise 46

Wat; te; tegen; hij; dat; de; het; hebt; bij; of.

## Exercise 48

Geachte mevrouw Blokker,

Naar aanleiding van ons telefoongesprek van vanochtend stuur ik u hierbij de trui die ik vorige week gekocht heb terug. Zoals ik u aan de telefoon gezegd heb, is hij te klein.

Omdat ik te ver van het warenhuis woon om de trui te kunnen ruilen, hebben wij telefonisch afgesproken dat ik hem zou terugsturen en dat u ervoor zou zorgen dat ik mijn geld terugkrijg.

Naar mijn mening is alles in orde met de trui, en ik hoop dat u mij binnenkort een cheque zult kunnen sturen.

Bij voorbaat hartelijk dank,

Met vriendelijke groet,

# Lesson 6

## Exercise 49

1. Hij hield ze kaarsrecht langs zijn lichaam en de portier zag hoe de handen zich openden en sloten.
   *He held them rigid beside his body and the porter saw how the hands opened and closed.*
2. Toen draaide de man zich een kwartslag om en liep naar het water.
   *Then the man turned a quarter of a turn and walked towards the water.*
3. Hij streek met zijn rechterhand door zijn haar en de portier wist zeker dat hij dat deed om zich iets te herinneren.
   *He ran the fingers of his right hand through his hair and the porter knew without any doubt that he was doing that in order to remember something.*

## Exercise 50

1, b; 2, c; 3, e; 4, a; 5, d.

## Exercise 51

nevenwerkingen; pijnstillers; eetlust; slaappillen; voedingsmiddelen; laxeermiddelen; afvalstoffen; plaspillen; zoutweerhouding; waterweerhouding; gewichtstoename; maagzuur; suikerziekte; maagklachten; darmklachten; eetlustafname; gezichtsscherpte; prostaatklachten.

## Exercise 52

1. pijnstiller; 2. bij, voorgeschreven; 3. suikerziekte; 4. eetlust; 5. laxeermiddelen; 6. essentiële voedingsmiddelen.

## Exercise 53

1. false; 2. true; 3. false; 4. false; 5. false; 6. true.

## Exercise 54

Er zijn in Nederland ongeveer 200 ziekenhuizen, die in drie groepen kunnen worden onderscheiden, namelijk academische, algemene en categoriale ziekenhuizen:
— academische ziekenhuizen zijn verbonden aan de medische faculteit van een universiteit. Naast de patiëntenzorg, worden hier ook artsen opgeleid en wordt medisch onderzoek verricht.
— algemene ziekenhuizen: hier kunnen patiënten met verschillende soorten aandoeningen worden opgenomen en behandeld. Vaak wordt er een polikliniek verbonden aan deze ziekenhuizen.
— categoriale ziekenhuizen: in deze instellingen wordt door één specialisme hulp aangeboden. Voorbeelden zijn een oogkliniek of een kinderziekenhuis.

The passive verbs are all the same tense – present.

In the Netherlands there are around 200 hospitals which can be put into three groups: i.e. teaching hospitals, general hospitals, and specialized hospitals:
— *teaching hospitals* are linked with the medical faculty of a university. Besides caring for patients, doctors are trained here, and medical research is carried out.
— *general hospitals*: patients with various kinds of complaints are admitted and treated here. There is frequently an outpatient clinic attached to these hospitals.
— *specialized hospitals*: In these institutions, medical help is offered by one specialism. Examples are an eye hospital or a childrens' hospital.

### Exercise 55

a)
1. Zij zijn door de tunnel geleid.
2. Ik ben iedere dag naar het station gebracht.
3. Wij zijn dikwijls door die man uitgenodigd.
4. Er is gebeld.
5. Hij is door zijn moeder verwacht.

b)
1. Zij werden door de tunnel geleid.
2. Ik werd iedere dag naar het station gebracht.
3. Wij werden dikwijls door die man uitgenodigd.
4. Er werd gebeld.
5. Hij werd door zijn moeder verwacht.

c)
1. Zij waren door de tunnel geleid.
2. Ik was iedere dag naar het station gebracht.
3. Wij waren dikwijls door die man uitgenodigd.
4. Er was gebeld.
5. Hij was door zijn moeder verwacht.

## Lesson 7

### Exercise 57

1. false; 2. true; 3. false; 4. true; 5. true; 6. true.

### Exercise 58

1. op, bij; 2. naast, op; 3. in, bij; 4. na, op; 5. uit; 6. aan, van.

### Exercise 59

1. trots ; 2. voorzichtig; 3. controleren; 4. schaatser; 5. beweging; 6. sterke; 7. remde.

### Exercise 60

het arboretum; de rozentuin; de kruidentuin; de vijver; het bos; het dierenpark; de boerderij; de molen; het kapelletje; de dorpsherberg; de stadswoning

### Exercise 61

— Bokrijk is a large nature park.
— It's good for walking in.
— There's plenty to see on a walk: gardens, woods and animals.

— It has a unique historical collection of buildings such as mills and chapels.
— Local food and beer is available at the 7 inns and restaurants.

### Exercise 63

1. langzaam; 2. voorzichtig; 3. snel; 4. trots; 5. rustig.

### Exercise 64

Op, van, naar, bij/voor, in, in, uit, tussen/bij, in, in.

### Exercise 65

1. Een grote sterke man zat rustig op de bank bij de ingang van het park.
2. Op de eerste dag van de tocht langs de grens fietst men over de afsluitdijk.
3. Liefhebbers van regionale gerechten kunnen makkelijk in één van de zeven herbergen eten.
4. In het Openluchtmuseum Bokrijk kunt u heerlijk door de tuinen en bossen wandelen.

## Lesson 8

### Exercise 67

3, 5, 2, 4, 1.

### Exercise 68

— Women have learned to behave more like men, but this is not the case the other way round.
— Although girls no longer think in the first place of an existence as a housewife, men want a traditional family life.
— The emancipation of women is less clearly visible in the area of love.
— In other words, boys and girls still have traditional roles: boys chat up and girls are chatted up.
— In spite of this, you can still derive a lot of pleasure from it.

### Exercise 69

1. traditionele; 2. huisvrouw; 3. liefde, seks; 4. uiterlijk; 5. emancipatie; 6. echtgenoot; 7. verhouding; 8. versieren.

## Exercise 70

1. gescheiden
2. uitmaakte
3. opvangen
4. verstandhouding
5. kondigen . . . aan
6. inmiddels
7. vertroetelt
8. logisch

## Exercise 71

aankondigen, volslagen, scheiden, vertroetelen, over een tijdje, verhouding, prettig, bang.

## Exercise 72

dankzij, vertrekken, scheiden, doorgaan, druk, langzaam.

## Exercise 73

2. Als de rok niet te duur is, moet je hem gaan kopen.
3. Ik ga geen wandeling maken, tenzij de zon schijnt.
4. Indien u niet op tijd betaalt, wordt de auto teruggenomen.
5. Als je veel brieven moet schrijven, is het een goed idee een tekstverwerker te kopen.
6. Je kunt niet gelukkig zijn tenzij je getrouwd bent.
7. Je kunt niet gelukkig zijn als je getrouwd bent.

## Exercise 74

2. If the skirt isn't too expensive, you must buy it.
3. I'm not going for a walk unless the sun shines.
4. If you don't pay on time, the car will be repossessed.
5. If you have to write lots of letters, it's a good idea to buy a word processor.
6. You can't be happy unless you're married.
7. You can't be happy if you're married.

## Exercise 75

2. Als ze niet zo moe was geweest, zou ze naar de disco zijn gegaan.
3. Als hij aardig was, zou hij een cadeau voor zijn vrouw hebben gekocht.
4. Als je van me hield, zou je zoiets niet doen.
5. En als jij van mij hield, zou je me zoiets niet laten doen!
6. Als het mooi weer was geweest, zouden we met de fiets zijn gegaan.

### Exercise 76

1. If I had been rich, I'd have had a totally different life.
2. If she hadn't been so tired, she would have gone to the disco.
3. If he were nice, he would have bought his wife a present.
4. If you loved me, you wouldn't do such a thing.
5. And if you loved me, you wouldn't let me do such a thing!
6. If it had been nice weather, we would have gone by bicycle.

## Lesson 9

### Exercise 79

1. true; 2. true; 3. false; 4. false; 5. true; 6. true.

### Exercise 80

1. steeds meer
2. in de eerste plaats
3. in grote mate
4. in grote lijnen
5. dat geldt voor
6. dat kan haast niet anders

### Exercise 81

1. Don't leave lights on unnecessarily.
2. Change light bulbs which are on a lot with energy-saving bulbs.
3. Only turn the washing machine on when it's completely full.
4. 'Insulate' yourself, for example by wearing a jumper.
5. Let the sun shine in as much as possible in the winter.
6. Close the curtains in the evening.
7. See that the curtains hang right down to the windowsill near radiators.
8. Don't leave doors open unnecessarily.
9. Turn off radiators in rooms where heating is not needed.
10. Turn the thermostat down a degree or so.
11. When going to bed, turn the thermostat five or six degrees lower.
12. Fix draught excluders to window and door frames.
13. Lag central heating pipes in rooms which you don't wish to heat.
14. Have central heating boilers and hot-water systems regularly maintained.
15. When buying appliances, take note of their energy consumption.

## Exercise 82

Dames en Heren,
Het is mij een bijzonder groot genoegen u allemaal van harte welkom te mogen heten op deze belangrijke dag, voor de opening van ons nieuwe 'milieukantoor'.
Als directeur van een groot bedrijf hoor ik vaak de vraag: 'Hoe ziet uw milieubeleid er uit?' Ik zal proberen hier in een paar zinnen antwoord te geven op deze vraag.
Wij vinden dat de Lage Landen al vervuild genoeg zijn. We lezen bijna iedere dag hoe de ozonlaag steeds meer wordt aangetast; onze bossen worden verzuurd, onze steden zijn vervuild, onze kinderen moeten verontreinigde lucht ademen. Maar wij geloven niet dat 'de industrie' hier alleen voor verantwoordelijk is. De landbouw, huishoudens met hun afval, het gebruik van de auto – ze dragen allemaal bij tot de huidige problemen op milieugebied.
Maar wat doen wij? Vorig jaar hebben wij een speciaal milieuteam geïnstalleerd, dat verantwoordelijk is voor het uitvoeren van ons milieubeleid; en dat team is heel actief geweest . . .
. . . Concluderend, dames en heren, hoop ik dat ik u heb laten zien dat wij, 'de industrie', toch veel doen om de milieuproblemen aan te pakken op zowel mondiaal als nationaal niveau. Wij alleen kunnen het probleem niet oplossen. Maar met ons constante streven om de milieubelasting zoveel mogelijk terug te dringen via de milieumaatregelen die ik beschreven heb, kunnen wij een bijdrage maken tot een milieu dat gezonder is voor ons allemaal.
En nu, dames en heren, wil ik u graag uitnodigen op onze receptie, waar u van een lekker glas bier of wijn kunt genieten – uit gerecycleerde glazen, natuurlijk.
Ik dank u.

## Exercise 83

1. Het is mij een bijzonder groot genoegen u allemaal op deze belangrijke dag van harte welkom te mogen heten.
2. Ik zal proberen hier in een paar zinnen antwoord op deze vraag te geven.
3. De landbouw, huishoudens met hun afval, het gebruik van de auto – ze dragen allemaal tot de huidige problemen op milieugebied bij.
4. Vorig jaar hebben wij een speciaal milieuteam geïnstalleerd, dat voor het uitvoeren van ons milieubeleid verantwoordelijk is; en dat team is heel actief geweest . . .
5. Concluderend, dames en heren, hoop ik dat ik u heb laten zien dat wij, 'de industrie', toch veel doen om de milieuproblemen op zowel mondiaal als nationaal niveau aan te pakken.

6. Maar met ons constante streven om de milieubelasting, via de milieumaatregelen die ik beschreven heb, zoveel mogelijk terug te dringen, kunnen wij een bijdrage tot een milieu maken dat gezonder voor ons allemaal is.
7. En nu, dames en heren, wil ik u graag op onze receptie uitnodigen . . .

## Exercise 84

1. De verontreiniging is een globaal probleem.
2. Elk land moet tot het oplossen van de milieuproblemen bijdragen//Elk land moet bijdragen tot het oplossen van de milieuproblemen.
3. Met ons milieubeleid zullen wij de aantasting van de ozonlaag en de broeikas-effect aanpakken.
4. Het gebruik van spaarlampen bespaart geld en is beter voor het milieu.
5. Onze centrale verwarming wordt regelmatig onderhouden.
6. Als het warm is, draaien we sommige radiatoren uit.
7. Welkom in onze stad.
8. Het doet me genoegen u hier te zien.

## Exercise 85

| | | |
|---|---|---|
| 1. | aantasten | to damage |
| 2. | uitputten | to exhaust |
| 3. | bijdragen | to contribute |
| 4. | verzuren | to make acid |
| 5. | uitstoten | to emit |
| 6. | vervuilen | to pollute |
| 7. | beseffen | to realize |
| 8. | belasten | to have an adverse effect on |
| 9. | aanpakken | to tackle |
| 10. | besparen | to save |
| 11. | verlichten | to light |
| 12. | bevestigen | to confirm |
| 13. | verbruiken | to consume |
| 14. | aanschaffen | to acquire |
| 15. | oplossen | to solve |

# Lesson 10

## Exercise 87

1. false; 2. false; 3. true; 4. true; 5. true; 6. false; 7. false; 8. false.

1. Als je een paar ontspannende dagen wilt doorbrengen, moet je naar Antwerpen gaan.
2. Antwerpen is niet alleen goed voor een kort bezoek, maar ook voor een langer.

6. Het hoogtepunt van de Onze Lieve Vrouwkathedraal is zijn met 'stenen kantwerk' versierde toren.
7. De kathedraal is van binnen erg mooi.
8. Het is best mogelijk rust te vinden in deze drukke stad, en wel in de tuin van het Rubenshuis.

## Exercise 88

4, 7, 1, 2, 9, 3, 8, 5, 10, 6

## Exercise 89

Antwerp is the perfect city for a visit of a few days or longer. It has one of the largest ports in the world, and is the city where Rubens was born. Although it is a very old city, Antwerp is nevertheless a city of today. The city is very important for the diamond trade. It is a very sociable city with many old cafés and restaurants. There are also busy markets and famous shopping streets. Close to the Grote Markt stands the beautiful cathedral – the Onze Lieve Vrouwkathedraal. De Meir is one of Antwerp's main streets. If you follow this street you will come to the Rubens House. Here you will find a peaceful spot in the midst of the busy city.

## Exercise 90

nog steeds; generaties lang; voor het eerst; van vader op zoon; op de achtergrond; leefden in onmin.

## Exercise 92

1. Antwerpse
2. Brusselaars; Brusselaars
3. Rotterdams
4. Brabantse; Limburgse
5. Groningse
6. Amsterdammers
7. Hagenaars; Leuvenaren
8. Antwerpenaars
9. Amsterdammers
10. Delfts

# Index

### *Grammar and key Dutch words*